D1631862

TRAITÉ DU STYLE

ARAGON

TRAITÉ DU STYLE

GALLIMARD

Paris, 43, Rue de Beaune

9e édition

I

La Révolution Surréaliste la
revue la plus scandaleuse du
monde.

Destinée de La Fontaine.

Faire en français signifie chier. Exemple :

> *Ne forçons pas notre talent :*
> *Nous ne FAIRIONS rien avec grâce.*

La carte-postale représentait un petit garçon sur le pot. Sujet de plaisanteries inépuisables, cependant une moitié de la population dépérit pour ce que tant de bons mots sont au rancart depuis que la chaise percée passa de mode. Mais les perfectionnements du bidet réjouissent le cœur des générations les plus jeunes. C'est ainsi que nous avan- çons dans la vie entre deux haies de bonnes histoires de merde, bien grasses. Ecoutez parler les chemins de fer, les tables d'hôte. Sans compter vos supérieurs hiérarchiques, de la caserne au mécénat, et dans la plupart des établissements on se sert des journaux en guise de papier hygiénique. Comme cela le plaisir est double, l'on récupère en lisant la précieuse matière excrémentitielle, excellente à l'esprit comme au cœur.

Matière éminemment française, et qui voudrait la laisser perdre ? *Tout ce qui est national est nôtre.* Aussi ce peuple de vidangeurs se targue-t-il d'avoir la première peinture du monde, le premier cambouis, la première cuisine, les premières putains, la première politesse (*Après vous. Je n'en FERAI rien*, etc.). Ayant marché du pied gauche dans un peu de sel gaulois il possède une histoire sans ombre, des plus gaillardes, où c'est en vain qu'on chercherait la trace d'une erreur, le souvenir d'une lâcheté. Élégance et galanterie n'excluent en rien le mot pour rire. On rit donc et dès l'enfance le petit citoyen se tord lorsque le mot caca retentit patriotiquement à son oreille.

A la nouvelle d'une révolution, Kant interrompt sa promenade, Gœthe ne l'interrompt pas. Quelle prétention de part et d'autre.

Un Monsieur qui veut être à la hauteur des événements : définition du clown. De 1914 à 1918 la légende suivant laquelle les clowns viennent d'Angleterre ou d'Allemagne s'est trouvée fausse. Il s'en est levé à revendre de chaque sillon béni du sol français.

Paris a élevé une statue à Shakespeare, boulevard Haussman, le jour où le conseil municipal l'a réalisé père de l'idée de clown. Père de la patrie, quoi.

Noms de clowns qui me viennent à l'esprit : Julien Benda, Monsieur Thiers, Gœthe, Paul Fort, l'abbé Brémond, l'auteur de *Rien que la Terre*, Raymond

Poincaré, Gyp, le Pasteur Soulié, André Maurois, Ronsard, Julien Benda très spécialement.

Le baron Seillières est plutôt un palefrenier.

La race des palefreniers n'est pas près de s'éteindre. Ni la nouvelle d'une révolution, ni les guerres dans leur durée, ne sont, me semble-t-il, nécessaires pour faire surgir cette sorte de princes Murats et de Claudels qui ne retroussent leurs manches que pour mieux sentir le crottin. Tristes sous-offs dans leurs garnisons importantes.

André Gide n'est ni un palefrenier, ni un clown : mais un emmerdeur. D'ailleurs il se croit Gœthe. C'est-à-dire qu'il voudrait être drôle.

Le baron Seillières n'est pas drôle. Il se croit Nietzsche.

L'abbé Brémond se croit Fénelon. Il est drôle. Fénelon ne se croyait pas l'abbé Brémond, il ne cherchait pas à être drôle. Je le préfère à Gœthe : il a

une haute idée de l'amour. Gœthe est
un palefrenier. André Gide qui veut
ressembler à un palefrenier !

La ville de Paris élèvera une statue à la
Comtesse de Noailles, boulevard Hauss-
mann, quand le conseil municipal aura
enfin compris que cette dame est irré-
médiablement une sotte.

Le baron Seillières n'aura jamais de
statue à Paris. Il en aura une dans
l'Oise. L'abbé Brémond aura un céno-
taphe. Toute cette graine de bronze,
mais la Noailles n'aura qu'un bas-relief
en mie de pain. *Tu l'auras, ta statue* petit
jeu essentiellement parisien.

Une des phrases françaises les plus
sordides : Il y a gros à parier... Les
yeux hors de la tête que ça fait à
l'homme qui parle. Usure à tous les
étages car les gens de beau langage
disent : Je gagerais... Ils parlent doit et
avoir, d'où suprématie du français, langue diplomatique, etc. Langue de cais-
sier, précise et inhumaine. On les éton-

nerait à leur dire qu'il n'y a pas un langage qui ait moins de réalité que le leur, qu'ils sont réellement incompréhensibles, pour qui n'est ni un marchand, ni un officier, ni un voleur. Exemple et preuve : un homme et une femme ensemble ne parlent français, j'entends bien français, que quand il s'agit de faire les comptes du ménage.

Les français ont le cœur trop mal placé pour qu'il soit possible de leur parler style. Ils ne vous écouteraient pas. Des styles, ils savent ce que c'est, le Louis XV, le Louis XVI, l'Empire. Leur littérature ainsi ne sort pas du faubourg Saint-Antoine. Ils écrivent très mal.

Leurs romans, Manon Lescaut, Eugénie Grandet, Madame Bovary, La Seconde Jeunesse de Madame Prune, Bella, sont de niaises historiettes bourgeoises. Il n'y a pas de quoi fouetter un chat dans toute cette bibliothèque !

Leurs poètes ? Déroulède, Béranger.

Tout de même aller prétendre que Rimbaud est français. Ah La Fontaine par exemple, ça c'est un français, et comment.

Ces réserves faites, il est possible de parler du style.

Quand le jeune homme qui s'avance dans l'art d'écrire comme dans un grenier plein à craquer d'aubergines et de mandragores pour la première fois sans sa mère une petite souris, avec l'incertitude même des poils floconneux de ses joues, se demande, les doigts tout tachés d'encre, et une terrible crampe à l'épaule droite, si, encore que les pages, sinon la couverture, n'en soient pas complètement en pièces, le dictionnaire de rimes qui sursaute perpétuellement sous les coups de son inquiétude peut lui être plus longtemps d'un usage quelconque, le doute empruntant les indiscrètes voies de la distraction qui

ne manque guère dans la grande maison silencieuse ou la petite chambre
bruyante indifféremment, se met à ricaner ça et là, à faire des tours de presti-
digitation incompréhensibles comme
casser un porte-plume, installer une
matérialisation charmante à l'ombre
bleue des chaussures, un tournoi de
chevaliers dans un ongle, changer le
ciel de place, peler la terre et jeter les
noyaux, par exemple. Ou bien c'est un
notaire qui réclame à grands cris un
traité du style, et l'eau chante dans la
bouilloire où mijote le gai tilleul. Tout
un peuple pâle au fond des maisons de
fous se démène. Les grammaires Lar-
rive et Fleury sont arrachées aux devantures des libraires par le désir de la
connaissance plus prompt à la décep-
tion qu'à la lassitude, et ces pâquerettes
ne sont pas assez nombreuses pour les
passions interrogatives des enfants du
siècle. Ils jettent des appels effrayés à
l'écho qu'ils adorent, car ce qu'ils cher-

chent, c'est l'écho, la Rime aujourd'hui
désaffectée, petite église de campagne
après la séparation, et ils disent des
choses insensées. D'abord c'est une
complainte en l'honneur de Babylone
Puis l'Achéron tourne neuf fois autour
des enfers. La Muse historique alors se
montre, elle tient dans ses mains une
bouteille de Chartreuse. Que la licorne
philosophe à son tour vient boire. Un
petit verre ce n'est pas de refus, répond
le cinéma dans l'herbe au music-hall.
L'encre sur les jours noirs du monde
coule donc à flots.

Mais ici je dois faire amende honorable aux journalistes.

Il est à remarquer que mon précédent
chef-d'œuvre, c'est du *Paysan de Paris*
que je veux parler, n'a pas reçu de la
presse le genre d'acclamations, de hour-
ras, d'encouragements en un mot,
qu'il était en droit d'attendre, étant
donnés ses belles couleurs et le parfait
fonctionnement de l'ascenseur et des

précautions oratoires. Cependant quelques injures à l'adresse des journalistes
s'étant glissées, sans doute par inadver-
tance, au bas d'une page, et j'ose dire
d'une des meilleures pages du livre,
une explication satisfaisante tant au
point de vue scientifique qu'à tout autre
a été avancée par un savant allemand
de quoi, de quoi, de ce phénomène
météréologique. Il paraîtrait que les
journalistes sont des termites qui
nichent dans l'oreille de la renommée,
ou bien, selon d'autres auteurs, ils
seraient des annelés du genre *vers du nez*,
ne se nourrissant que de moutarde et de
défécations, mais d'une susceptibilité
telle, qu'ils ne peuvent s'entendre trai-
ter de salauds sans trépigner et grincer
des dents. Or je les ai traités de salauds.
Si j'avais mieux connu la zoologie assu-
rément je les eusse de préférence appelés canailles. Mais les cours de la Sor-
bonne m'ont vraiment très mal profité.
Donc, cette fois, averti par l'effet de

mes précédentes injures, désireux de
donner plein cours à cet ouvrage présent, qui se recommande, remarquez
bien, tant par la qualité de l'écriture
que par la serviable intention de l'auteur de faciliter à ses lecteurs, et en premier lieu aux impétrants au diplôme
de bachelier, l'étude amère de leur langue maternelle, je m'empresse de mettre, et non plus en note cette fois, mais
en la place la plus honorable, en plein
exorde, un joli bouquet d'excuses à ces
Messieurs des Rédactions. Je retire tout
ce que j'ai dit. On peut, à la rigueur,
serrer la main à un journaliste. Où
a-t-on vu d'ailleurs qu'un homme qui
avait serré la main à un journaliste,
épouvanté de son déshonneur, se soit
jamais brûlé la cervelle, ou même ait
essayé de se la brûler seulement ? Sa
mère l'a-t-elle chassé, disant : Va, va,
tu n'es pas sorti de mon sein ? Sa chaste
fiancée s'est-elle faite religieuse, et
quand il s'est présenté à la grille du

couvent, où peut-être une autre dé-
mence après tout l'avait poussée, s'est-
il entendu dire par la tourière : Arrière,
tu as serré la main d'un journaliste ?
Non. Je dirai bien plus : il y a des gens
qui tiennent pour flatteur de connaître
un rédacteur au *Petit Var*, et même à
l'*Intransigeant*. Bien que l'on puisse
considérer ce genre de jugement comme
l'effet d'une perversion qualifiée, ou
tout au moins d'une imbécillité crasse il
faudrait que je fusse de bien mauvaise
foi pour passer silence sur une particu-
larité si intéressante, d'ailleurs omise
au Dictionnaire dont l'article *journaliste*
témoigne surtout de la terreur répugnante des académiciens devant les
périodiques, comme dit la poste. Donc
je déclare qu'il est possible de serrer la
main d'un journaliste. Sous certaines
réserves, s'entend. Se laver ensuite. Et
pas seulement la main contaminée, mais
tout le reste du corps, particulièrement
les parties sexuelles, pour ce qu'on sait

encore très mal comment le journaliste
empoisonne ses victimes, et qu'il n'est
pas très sûr qu'il ne dégage pas par tous
les pores de la peau ou du vêtement une
espèce de venin volatile et singulière-
ment infecte qui serait d'une aptitude
extraordinaire à se loger dans les plis de
flexion, même les mieux cachés par
l'habitude et la décence. Je parle maintenant pour ceux qui ont un domicile.
Si un journaliste se présente à votre
porte, je vous conseillais jusqu'ici de le
jeter très promptement à la rue, sans
rien entendre. J'avais tort. Je vais répa-
rer l'injure faite à la presse par un conseil plus modéré qui mettra d'accord
tout le monde. Mais auparavant je sup-
plie Messieurs les Journaux de considérer, et en premier lieu Messieurs les
Journaux critiques, que mes précédents
ouvrages ont été écrits dans ma prime
jeunesse, alors que je n'avais encore ni
expérience, ni réflexion. Parmi de grandes beautés qu'on y démêle, certains

propos hâtifs, et qui sont plus le fruit
de l'inconsidéré que du pli au pantalon,
ne doivent pas être pris pour l'expression dernière de ma pensée. On verra
par cet écrit même combien je suis
assagi. Et m'assagirai. Qui sait, je fini-
rai peut-être par dire qu'un journaliste
est presque un être humain. Mais je
n'en suis pas encore là, je parlais aux
domiciliés. Ainsi ne jetez pas l'intrus
sur le pavé. Il pourrait vous en cuire,
et vous auriez le lendemain un désagréable réveil en lisant votre nom écrit
avec de la bave dans les colonnes du
Matin. Faites entrer le visiteur, mais
seulement dans le vestibule. Si vous
n'avez pas de vestibule, vous avez bien
des cabinets d'aisance. En tout cas
jamais dans la cuisine, c'est malsain.
Mettez des gants, couvrez votre tête du
drap noir dont le photographe s'affuble
pour obtenir de nous une immobilité
relative, et demandez alors poliment,
mais sans platitude, ce qui vous vaut un

tel dérangement. N'écoutez pas la réponse, et dites à l'instant : Je verrai
plus tard. Puis sans vous préoccuper
davantage des propos tenus par le dangereux scolopendre, faites le violem-
ment sortir. Pour cela usez de surprise,
et ne vous y reprenez pas à deux fois.
Ensuite partout où vous pourrez aper-
cevoir la trace luisante de la méduse,
passez la paille de fer, désinfectez l'air
en brûlant du soufre, puis vaporisez
quelque essence aromatique qui vous
fasse oublier le remède aussi bien que
le mal.

J'espère que maintenant les journalistes vont pouvoir regarder d'un œil
tout nouveau les productions de mon
génie. Je me suis abaissé devant eux à tel
point que j'ai touché le sol, on ne peut
me demander de continuer longtemps
ce petit jeu-là. D'ailleurs cet ouvrage-ci
ne sera pas moins profitable aux dits
journalistes qu'aux romanciers et aux
fonctionnaires de l'Etat, qui les uns

comme les autres passent de temps en
temps un examen, où ce n'est pas toujours le savoir qui est récompensé, car
parfois l'élégance de la phrase arrive à
détourner l'esprit de la stupidité presqu'incroyable du fond. Je m'adresse à
tout ce qui est capable de tenir un porte-
plume, depuis l'enfant au berceau jusqu'au vieillard au cercueil, tout ce qui
a la débilité nécessaire au maintien
entre les doigts de cette machine grin-
çante, qu'on aurait tort de comparer
pour cela à un moulin, et que seul un
observateur superficiel compare habituellement à la seiche, cette machine
éminemment assimilable à la sauterelle
bien que la sauterelle soit limitée dans
ses bonds par les saisons de l'année, et
plus justement encore au cancrelat des
navires, pour une raison que je ne déve-
lopperai pas, parce qu'elle puise ses
analogies dans les mœurs mêmes de
l'écrivain et du bateau, l'un et l'autre
se masturbant d'une façon très longue

et très obscène à décrire au moyen l'un
de ses parasites et l'autre de son instrument de travail.

Je m'arrête ici pour me donner les
satisfactions de l'orgueil. Personne
avant moi, et l'on voit que cela signifie : c'est comme sur les affiches des
teintures Avant-Après, n'avait songé,
n'avait, n'avait songé, à, comment dire,
coucher par écrit ce qu'il pense debout
de l'écriture. Non, non. Inutile de me
rappeler les timides essais de mes ridi-
cules prédécesseurs. Prédécesseurs,
mauvaise image. D'ailleurs vous ne
vous représentez pas très bien mon
projet, mes colombes. Personne. Et
quand même à l'agonie d'une lampe à
l'heure où les premiers tramways
s'étirent traînant leurs vieilles faces de
maquerelles peintes à travers les grappes
mal éveillées des faubourgs, quand
même dans la demi-conscience d'un
veilleur attardé qui ne rallume plus
l'ancienne cigarette mâchée au milieu

des visions d'un matin pulmonaire,
quand même dans le rêve d'une jeune
fille et son bras s'est découvert, dans la
mauvaise humeur d'un commis qui claque en les ouvrant les volets de boutique,
une seule fois, aurait passé l'ombre que
j'ai saisie, ce ne serait pas un argument.
Personne. Avant-Après : tout le secret
dont je suis maître est dans cette barbe
mi-partie. Je parlerai d'abord de la
syntaxe.

Et s'il me plaît à moi parler de la
syntaxe ? Est-ce à dire que les épaules
du lecteur sont prises de convulsion ?
Du bromure. J'ai imposé depuis plusieurs années à votre admiration des
pages où les fautes de syntaxe ne sont
pas peu nombreuses. Pas les erreurs, les
fautes. Cependant vous admirez. Alors
moi je vous entreprends sur la syntaxe.
Simples comme l'âne et stupides comme
le chardon, vous n'avez pas remarqué
avec quelle impavidité blême je foule
systématiquement aux pieds sur le feuil-

lage noir de tout ce qui est sacré — la
syntaxe ? Systématiquement. Or on se
demande quel profit singulier je pense
tirer de ce piétinement incompréhensible. On se demande. Pas une réponse
ne sort du gouffre. Les oiseaux qui tour-
noient au-dessus de l'abîme où se per-
pètre et se perpétue avec une continuité inquiétante le foulement ci-dessus
décrit ne jettent pas une seule clameur
à cet abîme. Ils ont l'habitude. Moi je
piétine. La syntaxe elle est piétinée.
Voilà la différence entre la syntaxe et
moi. Je ne piétine pas la syntaxe pour
le simple plaisir de la piétiner ou même
de piétiner. D'abord je prends très peu
de plaisir par les pieds et le plaisir que
je prends par les pieds n'est que d'une
façon très exceptionnelle celui du piétinement. Je piétine la syntaxe parce
qu'elle doit être piétinée. C'est du raisin.
Vous saisissez. Les phrases fautives ou
vicieuses, les inadaptations de leurs parties entre elles, l'oubli de ce qui a été

dit, le manque de prévoyance à l'égard
de ce qu'on va dire, le désaccord, l'inat-
tention à la règle, les cascades, les incor-
rections, le volant faussé, les périodes à
dormir debout boiteuses, les confusions
de temps, l'image qui consiste à remplacer une préposition par une conjonc-
tion sans rien changer de son régime,
tous les procédés similaires, analogues à
la vieille plaisanterie d'allumer sans
qu'il s'en rende compte le journal que
lit votre voisin, prendre l'intransitif
pour le transitif et réciproquement,
conjuguer avec être ce dont avoir est
l'auxiliaire, mettre les coudes sur la
table, faire à tout bout de champ se
réfléchir les verbes, puis casser le
miroir, ne pas essuyer ses pieds, voilà
mon caractère. Si l'on reprend toutes
ces propositions une à une, en commen-
çant par la dernière et dans l'ordre
inverse de celui que j'ai suivi pour les
énoncer, mais très lentement, on remar-
quera bientôt que la matière n'est pas

épuisée. Mais dans le même temps on
saisira que la phrase qui se termine par
caractère, d'une façon excessivement
rapide, met à la portée de celui qui
l'entend comme il faut une méthode à
laquelle il ne manque au plus qu'une
toute petite roue pour servir à l'assèche-
ment de ce puits qu'on croyait inépuisable, sinon par un vaste traité. J'en
ai donc fini avec la syntaxe.

Je considérerai maintenant l'homme
qui écrit d'une façon très physique. Je
vous prie de réfréner les cavales écu-
mantes du fou-rire. Cet instantané ne
surprend rien de plus bouffon que tout
autre, à titre d'échantillon les photo-
graphies de mariage sur le perron d'un
édifice public. Puisqu'on peut sans
rougir et frémir, et arracher ses vête-
ments avec de grands cris, contempler
l'homme qui se marie, pourquoi serait-il
honteux de poser calmement ses yeux
sur l'homme qui écrit. Sans doute
celui-ci se croit seul et nous serons

donc frappés par la hideur de ses traits.
Il ne se surveille plus. Les tics nerveux
se donnent libre cours sur son visage
et dans toutes les zones débiles de son
misérable corps. Il ne se gêne plus parce
qu'il est incapable d'accorder les parti-
cipes et ses membres dans un même
temps. Oh le laid, le sale, le dégoûtant
personnage, C'est un petit être négligé.
Mais il s'agit d'épier son comportement.
Il écrit. Il tient donc un porte-plume,
et qu'on ne cherche pas à m'embarras-
ser avec le décor, les gens qui dictent,
les littérateurs de métro, les crayon-
neurs en pleine Nature, les dactylo-
graphes de la poésie, les sténographes
de l'angoisse, les agités qui hurlent dans
la rue en brandissant de petits bouts de
papier sali, les écorcheurs de vélin à
domicile, les notateurs sur le vif, etc.,
l'homme qui écrit est assis à une table
et il se sert d'une plume ordinaire et
non d'un stylo, et la trempe de temps
en temps dans l'encre. Il n'a pas forcé-

ment un buvard sous la main et quand
au bout de sa page avec une sorte de
soupir il jette autour de lui un regard
idiot mais circulaire, il arrive qu'il se
résolve à retourner le feuillet achevé
sans le sécher avec délicatesse, et l'encre
alors affreusement s'étale, créant parfois
des quiproquos. Je me demanderai
d'abord ce que le porte-plume pense de
la course où monté par cinq jockeys des
rivières de perplexité parfois l'arrêtent,
quand ce n'est pas la ruisselante sueur,
ou les balbutiements de la crainte. Il est
certain que le porte-plume est absolument inconscient de son rôle d'entité.
Mais il est en tout point comparable à
un vieux train qui ayant usé longuement sur les rails l'acier pesant de ses
roues, tant sur les voies de garage et
pendant les manœuvres épuisantes que
sur la route glorieuse où, à grands jets
de flamme, il émerveilla si souvent au
loin les coccinelles, à un vieux train,
disais-je, qui n'entend pas sans inquié-

tude à la halte où sa machine fait eau,
les ouvriers courbés éprouvant du mar-
teau ses anciennes chevilles. Plus précisément il ressemble à une danseuse
qui s'aperçoit soudain que son cothurne
est délacé. Aux soubresauts d'un homme
au milieu d'un cauchemar. A la gâchette
rouillée d'un fusil de chasse. A la
petite vis accessoire qui tombe d'un
canon pendant la bataille. Voilà pour la
forme du porte-plume. Mais il me dira
lui-même sa pensée. Parle, maigre
porte-plume, qui n'as pas été mangé
lors du dernier naufrage, parle, et dis-
nous comment en cette tempête soudaine, tu te sortis du danger, sans perdre tout à la fois et la tête et l'honneur.

Le Porte-Plume.

Que me veut-on ? La brute. J'en ai
assez du rôle d'intermédiaire. Ils appellent ça penser, pensez donc. Ce n'est

pas à moi qu'il faudrait la faire. Il y a
un rapport constant entre ce qu'ils ont
là et ce qu'ils chantent : c'est la varia-
tion de mon obliquité. Je suis le moyen
terme entre le particulier de leur habitus d'une part, et l'incolore de leur
expression, de l'autre. De cette proposition vous déduirez le plan de cet inter-
view. Nous examinerons chacun de ces
deux facteurs, après quoi nous en
ferons surgir dialectiquement un troisième. Et en avant pour l'habitus de
l'écrivain. Sacré nom de Dieu, la vilaine
mine. Les taches de graisse sur la
manche. Les ongles noirs. Les notes
prises sur le celluloïd des manchettes.
A chaque trait correspond sa tare
morale. Le genre pantographe du bras,
losange à coulisse. La parcimonie respi-
ratoire. Une absurde moustache, ou
tout au moins l'équivalent calorifique
de cet ornement circonflexe. Tout est
paraphe dans ce complet veston. Gzzz
pour certaines complications du paraphe

et qui me rendra les feux de la Saint-
Jean ? L'expression ne vaut pas davantage. Vous qui lisez les livres que j'écris,
vous qui en avez sans doute une idée
d'ensemble, un instant soyez autant
que moi sincères. Ils vous tombent des
mains, les cheveux vous dressent sur la
tête, vos yeux roulent comme les billes
du loto, du jeu de loto, votre impatience renifle, vous agitez le sourcil,
dans la hauteur, vous déchirez le papier
mural. C'est bien : votre attitude en dit
assez, on vous tient quitte du reste.
Ainsi vous le voyez bien, tout le monde
juge de même. Et je me renverse, je
braque vers l'écrivain ma plume, et vers
le papier mon manche, et je m'adresse
à vous, griffonneurs, comme un ongle
retourné. Qu'avez-vous donc à dire,
maniaques bavards ? L'histoire d'une
manutentionnaire en cigares qui sédui-
sit un douanier et un contrebandier,
l'histoire d'un homme qui vivait dans
une petite chambre, l'histoire d'un

compositeur mis à la porte d'une petite
ville à la suite d'une rixe banale. Quand
le douanier a perdu l'honneur, le musi-
cien son meilleur ami, le Monsieur
seul attrape la vérole et tout est dit.
O vous tous, Bouvard, Raskolnikoff,
Azyadé, Lafcadio, Lovelace, hypothétique Bérénice, vous êtes des bubus
indistincts et pareils. Julien Sorel dans
la glace, effrayé, ne voit que Tartarin.
Le compositeur un peu plus tard fait un
voyage à Genève. L'amie du douanier
vient le voir de la part de sa mère.
Rengaine des sentiments mécaniques,
idioties nouvelles, concrétions légen-
daires, petites machines à crétiniser
longtemps. D'autres faussaires aux
idoles fictives ont substitué les trappes
intellectuelles. Les uns comme les
autres sont incompréhensibles. Libre à
vous de préférer Bergson à Octave
Feuillet. C'est à peine si l'humanité a
pu saisir un instant la différence théo-
rique entre le docteur Mardrus et l'In-

troduction à la Médecine Expérimentale.
Elle confond perpétuellement les mathématiques et l'opérette. Pas un de vous
ne peut réciter par cœur, sans recourir à
un aide-mémoire, la liste complète des
ouvrages de Monsieur Brunschwicg.
L'ignorance est un argument contre la
validité. Bayements laborieux des livres
vu s êtes les piètres Marignans de peu-
plades sans chronologie. Aussitôt établi,
votre système de références — se perd.
L'exercice de l'écriture m'apparaît donc,
au moral comme au physique, une
coutume sauvage et répugnante à
laquelle je préfère cent fois parce qu'autrement bénignes et curieuses les pratiques traditionnelles de la confirmation
chrétienne et de la déformation systématique des lèvres au moyen d'un
simple bâtonnet d'ivoire.

J'ai dit, je ne sais si je me suis pleinement fait comprendre, que je m'assa-
gissais. Je le prouve. Ainsi le point de

vue du porte-plume qui fut un certain
temps le mien, de point de vue, ne l'est
plus à proprement parler, le mien. Je
trouve ce simple instrument de quelques
volontés humaines trop pessimiste, et
par-ci par-là décourageant. Par exemple
cette histoire de douanier. N'est-elle pas
pleine d'enseignement, pour celui qui
d'une main diligente, sans toutefois se
distraire du but qu'il s'est assigné, sait
sur sa route cueillir avec à propos les
violettes de la conclusion ? Ce douanier
n'aurait pas dû quitter son poste. Il
n'aurait pas dû se laisser égarer par la
passion. Il n'aurait pas dû mépriser les
conseils de Michaëla. Il aurait dû songer
à sa vieille mère. L'auteur ne dit pas
cela expressément, mais il ne vous
empêche pas de le penser. Alors pour
un témoin qui surprendrait votre visage
à l'instant où ces sages réflexions vien-
draient se peindre sur vos traits, quelle
beauté les revêtirait soudain et vous
rendrait méconnaissables à vos parents

les plus proches. Un livre est excellent si le lecteur, déchirant son mouchoir inutile, laisse tomber soudain l'exemplaire parcouru, puis avec une expression céleste tourne vers le ciel un regard de reconnaissance tandis que ses lèvres murmurent : Papa, Maman. Noms sacrés, noms charmants qui gardez votre saveur jusqu'au fond des bordels spéciaux, jusqu'aux bafouillantes minutes du soixante-neuf, cher aux consorits. Mais à cette moralité ascendante qui ramène l'homme du milieu de sa vie au souvenir de ceux qui la lui conférèrent avec une douceur sérieuse, il faut opposer l'immoralité descendante d'autres ouvrages qui sont tels, dans leurs dégradants propos, que celui ou celle qui les parcourt ne peut qu'inconsciemment écarter sa vêture et passer sur l'un ou l'autre sexe une main spasmodique en soupirant : Bébé ! Ces derniers livres sont mauvais. A ce sujet je dirai un mot de la critique

On sait que nous n'avons guère de raisons, la critique et moi, d'être extrêmement tendres l'un envers l'autre, ou réciproquement. Ceci me met à l'abri des soupçons prêts à fondre du sourcil du lecteur comme les milans, à l'heure où le pâtre étonné par le soir relâche un peu sa surveillance et songe aux caresses de l'ombre, sur les troupeaux — sur moi. Je ne m'abaisserai pas jusqu'à discuter avec le voyou qui, sans égard pour les nuits de scrupules, les transes du jugement, les sanglots, les alternatives, les dilemmes, les déchirements cornéliens du critique, prétendit dans une phrase insolemment balancée que si d'une part le travail de cet honorable magistrat de la renommée était facile, d'autre part et par contre l'art, que dans sa simplicité ce faiseur de proverbes croit pouvoir opposer à la critique, alors qu'elle est comme vous et moi un art, et que partant le syllogisme ainsi amorcé, quelle qu'en soit la conclusion,

est faux, car le sujet de la seconde pré-
misse est un genre de l'espèce sujet de
la première, et tout se révolte en nous
si l'on nous présente d'une façon logique
dans la conclusion un prédicat lié par la
négative au sujet de la seconde pré-
misse qui l'est par l'affirmative avec
celui de la première — était difficile.
Prononcez à brûle-pourpoint la proposition : l'art est difficile, au moment où
vous passez devant un miroir. D'abord
vous hocherez la tête, ensuite vous
rirez. C'était fatal. Il y a dans les phrases
qui présentent un vice de construction
je ne sais quel élément qui agit sur la
rate humaine, car pour la rate des chiens
il ne semble pas qu'elle ait le sens de
l'humour verbal. Dire que l'art est difficile, suppose chez l'auteur de la phrase
l'ignorance totale des mots dont il se
sert. Qu'est-ce qui est difficile ? Un chemin, un client, un problème. Puis-je
m'exprimer ainsi : le ciel est difficile... ?
Oui, si je consens à mettre une majus-

cule au firmament, ce qui est un moyen
de le personnaliser. Car difficile est une
épithète qui ne peut se joindre qu'au
défini. C'est pourquoi l'art n'est pas difficile. Il n'est pas facile non plus. Mais
difficile et art ne peuvent être réduits au
commun diviseur du verbe être. On voit
par l'exemple qui précède quel labeur
surhumain est celui de l'homme qui
armé d'une lanterne s'avance au milieu
des livres pour y dépister les baraliptons.
La critique, c'est le bagne à perpétuité.
Pas de repos pour un critique. Et un
nom comme un cri de perroquet.

Cependant il faut reconnaître que ces
pauvres gens alourdis par le poids des
chaînes de montres, ne font pas toujours
le nécessaire pour maintenir leur rang
d'archanges foudroyés. Le mal que ces
Maudits ont pour mission de répandre
dans les cœurs sans méfiance loin d'être
assis comme il devrait sur leurs fronts
ténébreux, splendide, déployant ses
grandes ailes noires, se dissimule par-

fois dans un petit ruban violet à leur boutonnière. Ils manquent d'allure, ils n'ont plus confiance en leur autorité. Ils ont écouté ce que les apôtres malintentionnés de l'Art, ce christ des temps modernes, vont partout déclamant contre eux. Ils rougissent d'être pris pour des pions. Ils n'osent plus dire ce qu'ils pensent, prêtres démoralisés d'un culte agonisant. Eh bien, qu'ils m'en croient, il est temps, il est grand temps de ressaisir les rênes flottantes de l'ascendant moral. Et c'est faisable. Mais il faut bannir toute honte. Reprenez l'habitude ancienne, quittez ce ton trop général. Etudiez la loupe à la main les textes qui vous sont soumis. Pesez les mots. Analysez les phrases. Développez séparément les images. N'hésitez pas à ricaner métaphoriquement. Revenez à la tradition scientifique des annotateurs d'autrefois. Marquez les vulgarités à l'encre rouge, et si vous en trouvez par chance, expliquez longuement, lourdement les

beautés. Avec les marteaux de l'insis-
tance laminez, laminez sans fin les propositions écrites de vos incompréhensibles contemporains. Ainsi vous re-
trouverez dans l'univers votre rôle
grandiose, agents superbes de la destinée, qui toute sentimentalité pendue au
vestiaire éternel travaillerez inlassable-
ment à la mort et à l'usure de toute
chose orgueilleuse et disproportionnée.

Je dois avouer que je porte avec
quelques autres une lourde responsabilité en face de l'avenir de la critique. Je
suis certainement sinon l'inventeur au
moins l'un des premiers systématiseurs
d'un procédé de critique absurde qui
n'eut pas plus tôt mis le nez hors du nid
que, secouant ses ailes naissantes, il prit
son vol dans l'esprit des jeunes gens,
devint auroch et sema la littérature
d'avant-garde des pavés de l'ours abstrait nommé autant cela qu'autre chose.
C'est depuis ce temps-là qu'on ne peut
plus parler d'Yves - Mirande ou de

M. Montherlant sans que toutes les étoiles soient de la danse, avec les équi-
noxes, le zodiaque et tout le tralala. Les
auteurs de comptes-rendus se croiraient
déshonorés si comme ils le doivent ils
racontaient le sujet du livre. Je ne parle
pas ici d'Edmond Jaloux qui continue
avec un zèle admirable ce genre de trapèze périmé : Robert sort en courant, il
rencontre une jeune fille, elle enlève
son chapeau, il rougit, etc., alors la
petite baronne, et bou et ba, on se
demande si UN Robert, l'auteur ne semble pas, la scène du métro, excepté
peut-être Björnsen Björnson. Non, les
jeunes lampes à huile de la critique
sont plus séraphins, plus filasses. S'ils
vous parlaient d'Hernani, vous pourriez
vous fouiller pour connaître le nom de
Dona Sol. On pourrait de leur part
croire à de la hauteur. Mais quand on
constate que le même langage leur permet de parler d'un roman de François
Mauriac sans prononcer cette expres-

sion qui s'impose : sombre imbécile,
on se prend à réfléchir. Que les ballons
rouges lâchés par la main des enfants
soient le premier feu d'artifice assis dans
les branchages du crime, je n'y contre-
dis aucunement, mais je veux savoir si
vous tenez définitivement Jacques de
Lacretelle pour une tourte ou un flibus-
tier. Croyez-moi, abandonnez un procédé, poétique à coup sûr mais qui vous
fait mal juger. Il est temps d'en revenir
à l'étude approfondie des textes, à
l'examen sérieux et appliqué des moyens
de l'auteur, de son style. Ne craignez pas
les maux de tête. D'abord ce serait montrer bien peu de courage. Ensuite les
migraines, les douleurs lancinantes, les
brusques éclairs aux tempes que vous
ressentez parfois sont plutôt l'effet de la
syphilis que du travail. Outre que vous
ne soupçonnez pas les plaisirs, sans parler de la satisfaction de la tâche accom-
plie, qui vous attendent au fond de la
coquille où se cache ahuri le pagure du

solécisme à côté de la naine Equivoque.
Je demande à ce que mes livres soient
critiqués avec la dernière rigueur, par
des gens qui s'y connaissent, et qui
sachant la grammaire et la logique,
chercheront sous le pas de mes virgules
les poux de ma pensée dans la tête de
mon style. Parfaitement. Chaque ligne
peut servir de prétexte à une infinie
quantité de notes en petits caractères.
Chaque arrêt dans la phrase, et l'absence
d'arrêt, les mots, les murmures, les soubresauts, les retours, l'exprimé comme
l'inexprimable. Tout est matière à dis-
cussion. Qu'attend-on pour publier une
bonne édition critique d'Anicet ? Je
rougis quand je songe qu'il n'existe
aucun travail sérieux concernant mon
Télémaque. A quoi pense donc l'exégèse
moderne ? Petite paresseuse, va. Donnez
lui du vin rouge. Elle ira désormais,
brandissant une fourche, dépouillée des
vains ornements d'Ophélie, le feu à ses
larges narines, remuer à grands cris la

paille merdeuse des métaphores. Au
temps de nos pères, ces trousseurs de
phrases qui avaient toujours la larme à
l'œil et le cœur à la rigolade, il existait
des idées reçues, reste à savoir où et par
qui, mais enfin des idées reçues. On a
cru bien faire en s'en débarrassant.
Bien, bien. Mais ce n'était pas la peine
de changer de gouvernement. Car de
nos jours il n'y a plus d'idées, c'est aussi
rare que la petite vérole, mais sans
qu'on le dise il y a des images reçues, et
cette fois bien reçues, de vraies giffles à
toute espèce de bon sens. Par exemple : *Ah que la vie est quotidienne !* Comment, quelle est la brute avinée qui a
dit ça ? On ne se le demande plus, et
l'on va répétant que l'âme des hérons
fous sanglotte sur l'étang, ce qui tout
de même demande examen. Les classiques, comme Auguste Dorchain, Hégé-
sippe Moreau, Corneille, sont mis à con-
tribution. Les conducteurs d'autobus
en tirant leur sonnette murmurent en

souriant : Nous partîmes cinq cents, en
arrivant au port... Image démoralisante
s'il en fut, et que je tiens pour person-
nellement responsable de la politique
des alliés pendant leur guerre. Certains
thèmes contemporains de Sully Pru-
d'homme sont devenus des sujets d'é-
motion poétique si courants que merveilles. Ainsi le fait que la lumière qui
nous vient des étoiles est partie depuis si
longtemps qu'à l'heure actuelle, en réalité l'étoile là-bas comme un clou de
porte — est morte. Mais je vous vois
venir, nous n'aborderons que plus tard
l'épuisante question d'Einstein et de ses
montres détraquées. Songez que moi
qui vous parle, j'ai connu le temps, où
Madame Lara, de la Comédie Française,
qui était déjà très éclairée sur les pro-
diges littéraires, se tordait comme une
charmante petite baleine en lisant des
poèmes d'Apollinaire. Et aujourd'hui
dans les écoles communales, quand un
élève un peu plus éveillé que les autres

lève le doigt et interroge : M'sieur, quoi c'est, une carpe ? le maître laisse tomber ces mots fatidiques : c'est un poisson de la mélancolie. Eh bien non, mille fois non, les carpes ne sont pas les poissons de la mélancolie. Il faut être malade pour penser ça. Ce sont des choses qu'on dit comme turlututu. Avez-vous seulement jamais regardé une carpe ? Cette manie de voir toute chose à travers le mica du spleen ! Mélancolique, la carpe ? Je n'en reviens pas. C'est celui qui l'a dit qui l'était, mélancolique. Il y a aussi une ballade de François Coppée qui a fait bien des ravages : La Rive gauche est du côté du cœur. Remarquez que c'est à voir. Cependant cela a fait naître un esprit de quartier répugnant, qui est à la base de la conception du monde de tous nos intellectuels parisiens. Cela n'apparaît pas tout de suite, mais quand passée la cinquantaine ils se laissent aller au roman, on voit combien ils ont la tête farcie d'étudiants, de

cafés, de monômes, sans parler des gri-
settes. Ainsi lisez les *Faux-Monnayeurs*,
par André Gide. C'est typique. Ah qui
dira le mal que font les métaphores, les
torts du mot Analogie, le poids écrasant
des correspondances baudelairiennes ?
L'auteur de *Lola de Valence* est aussi le
responsable de ce funeste précédent, les
Vies antérieures. Elles ont crétinisé des
générations, elles continueront longtemps encore, et voyez combien ce bateau sorti tout armé des eaux dormeuses
des années cinquante luit aujourd'hui
d'un nouvel éclat métallique dans la
production morfondante du cinéma
américain. Il faut le dire hardiment, je
sais que je vais choquer plusieurs, mais
les vies antérieures ne sont pas une
explication. Non plus l'audition colorée,
les orgues à parfums, les éventails de
saveurs, etc., sur lesquels nous revien-
drons quand je ferai le procès d'Arthur
Rimbaud et de quelques autres.

Mais pour l'instant, je n'ai pas à

m'égarer plus loin dans le marais des images. Je suis en plein style, et je m'y maintiens. Je réclame à l'heure qu'il est de la rigueur dans la critique, et particulièrement une appréciation longue et conditionnée du style. C'est à dessein, notez-le, que je dis style, et non pas langage qui m'éviterait une répétition. D'abord parce que je ne crains pas de me répéter. Ce qui est bon à dire une fois est bon à dire deux et plus. Le point de vue flaubertien n'est à nul égard le mien. J'y viendrai plus tard. Mais surtout parce que le mot langage est aujourd'hui un sujet de délire particulier. Enfin accessoirement parce que langage n'est pas synonyme de style. L'instant que j'avais fixé, le voici. Je vais dire ce que je pense d'une certaine idée du langage. Soigneurs, écartez-vous.

Le vingtième siècle était dans ce qu'on appelle un moment difficile. Il muait. Des oiseaux étranges signalés à l'horizon y dessinaient d'incompréhen-

sibles présages. Alors du sein d'un
groupe illusoire se diffusèrent, sous le
vocable double de Dada, quelques idées
enveloppées des linges de l'égarement.
On en pensa d'abord que ce fut sottise,
puis philosophie. Un peu difficile à comprendre, même très difficile. Enfin il
s'agissait de lieux communs qui finirent
par se dépouiller, et devinrent des vérités comme deux et deux font quatre
(l'un des préceptes auxquels les dadaïs-
tes avec une obstination particulièrement enfantine avaient pris l'habitude
de s'attaquer). Le siècle là-dessus ayant
fait son service militaire un peu jeune
atteignit sa majorité et accepta chemin
faisant les points de vue de son temps
sans trop les discuter. C'est ainsi que
tout le monde se mit à penser que rien
n'en vaut la peine, que deux et deux ne
font pas nécessairement quatre, que
l'art n'a aucune espèce d'importance,
que c'est assez vilain d'être littérateur,
que le silence est d'or. Banalités qu'on

porta désormais à la place des fleurs
autour de son chapeau. Cependant au
sein de ce pessimisme à la mode, qui
est tout ce que le monde aura entendu
d'une cause peut-être un peu plus com-
pliquée, un certain nombre d'esprits qui
continuaient à faire leurs ces formules de
désespoir courant, trouvèrent le moyen
d'ouvrir une parenthèse. Rien n'en
valant la peine, il leur parut pourtant
qu'ils avaient trouvé une bonne raison
de s'esquinter le tempérament. Cette
raison tenait en sept lettres, et quand
ils disaient langage le mot prenait une
sonorité très spéciale, assez louche, avec
une drôle d'emphase, et la tête renver-
sée par le *ga* très ouvert, aussi loin
que possible de la première syllabe du
mot gâteau, et un petit *ge* de contentement pur sucre et salive. Il en résulta
un certain goût qui fit école pour de
petites drôleries dans les phrases. Cela
eut du retentissement à l'étranger. Il
faut bien dire que cette porte de service

ne donnait pas précisément sur les
grandes perspectives que Dada méritait
au moins qu'on lui préférât. Petite hystérie de gorge, gargarismes. Un amer
plaisir qui bientôt perdit toute amer-
tume et devint clappement de langue
du connaisseur, accompagna la sensation d'incertitude que les lieux communs mécaniquement employés laissent
à celui qui s'exerce à en apprécier simultanément l'usage et le défaut. Donc
langage se prit à signifier peu à peu
péché de bouche. Il est aujourd'hui bien
difficile de séparer ce mot de sa nouvelle
acception détournée. On préfère ne pas
s'en servir. Surtout si comme moi, on
estime que ce n'est pas un idéal suffi-
sant, et que vraiment alors rien n'en
vaut la peine. Regardez une bonne fois le
langage face à face, et cessez de prononcer le mot *langage* avec un petit tremblement. Vous n'aurez plus qu'un mot
comme un autre, qui ne tient dans votre
vie que la place assez restreinte d'une

préoccupation qui n'est pas indispensable. Je ne peux pas souffrir ces abstractions sublimées, ces religions accidentelles aussi répugnantes que les autres religions.

Vous avez l'entendement escargot, mais une chose assimilée, fût-ce grâce à l'ancien entonnoir des tortures, comme un bon cheval de bataille vous vous feriez tuer sous elle. Retour éternel et dérision sanglante, aujourd'hui Dada est votre cavalier que vous le soupçonniez ou non. Tout votre mauvais goût récent à sa lueur maintenant vous paraît impardonnable, et s'éloigne de vous comme un petit navire. Ohé de la goélette, ne regrettez pas ces ingrats passagers : moi je vous rends justice, je sais que ces sécurités nouvelles, ces points de vue récemment découverts, ne valaient exactement qu'en fonction de votre force. Ils ne sont pas plus fixables que primitivement l'étiez. Donc quand les arguments de 1920 se dressent

devant moi comme c'est depuis quelque
temps l'usage, sous la forme apocalyp-
tique des personnages peu nombreux
qui le long des années toujours firent
entendre au bizarre horizon de Paris un
certain grincement raisonneur et bavard,
je hausse majestueusement les épaules,
et je ne ris pas. Il n'y a rien d'hilarant
au contact inopportun des mouches. Je
ferai remarquer aux mouches qu'il est
indécent d'arguer devant moi de certains principes qui portent ma griffe et
non leur patte. Mais ces bestioles sont
de véritables mules. Elles ont des
œillères, et mieux : elles n'en ont pas,
car leur champ optique est de lui-même
borné par les panonceaux noirs de
l'erreur. Je retrouve ainsi dans leur
prunelle ma pensée notariée. Je suis
Napoléon qu'on cherche à prendre en
défaut avec son code. Et encore est-ce là
une image inexacte, et je ne me compare avec cet empereur que pour me
faire comprendre par les mouches-

mules. Toujours est-il qu'il est vraiment
entendu qu'on ne peut pas parler du
style. Le faire passe pour niais, et bassement féroce. Enfin déplorable. D'un
autre âge. Le jeune homme à cette
heure lit d'une façon toute crépuscu-
laire. Mais qu'aime-t-il donc ? Rimbaud.
Voilà qui, à première vue, semble intéressant et encourageable. L'atmosphère,
après un nombre respectable d'années,
est devenue favorable à l'insupportable
voyou, que disait ce génial Rémy de
Gourmont. Maintenant tout est clair
dans l'aventure rimbaldienne, pas un
sale petit bourgeois qui renifle encore sa
morve dans les jupons de Madame sa
mère qui ne se mette à aimer les pein-
tures idiotes et ne s'écrie : « Trois jeunes
filles nues, ce titre devant moi dresse,
ma parole, des épouvantes ». Pas un
ignoble petit rentier, pas un fils d'officier, pas une graine de rond de cuir,
pas un de ces imbéciles heureux à qui
on vient d'offrir une motocyclette pour

le jour de l'an, pas une fausse-couche
élevée dans du papier de soie, pour qui
Rimbaud ne soit un autre soi-même.
Tout ce qui attend un héritage parle de
disparaître un jour. J'ai déjà dit que j'y
reviendrai. Pour l'instant ce que j'étudie
dans ce phénomène est la grande commodité antipoétique du rimbaldisme
contemporain. Car l'anti-poésie n'est
plus une chimère dialectique. Elle a
pris corps, dans un temps sportif,
elle est devenue système, elle a même
au besoin des fondements métaphy-
siques. Le succès de Rimbaud, puisque
telle est la saloperie des faits qu'il peut
être question du succès de Rimbaud,
est en grande partie dû à la curieuse
moralité qu'on prête à sa vie. Car ils ont
si bien arrangé les choses, que la vie de
Rimbaud de nos jours est prise à témoin
contre la poésie même. Cette absurdité
a cours. Ainsi, chaperonnés par Rimbaud, nos jeunes industriels, nos magis-
trats en herbe passent superbement

condamnation sur tout ce qui les emmerde d'une façon congénitale. Enfin
plus n'est besoin de lire tous ces vers.
L'ignorance est de mise. Les livres
peuvent dormir dans la poussière, ça
n'est pas fait pour ces mains soignées.
A la rigueur, on va au théâtre, avec les
femmes. Mais lire. Des poèmes. Nous
avons dépassé ce stade, songez donc.
Hugo, Nerval, Cros, Nouveau, on ne va
pas nous faire marcher avec ces refrains
d'autrefois. Je me suis même laissé dire
par un ancien ami que j'avais le goût du
bibelot, avec ma façon de m'intéresser
à tous les petits romantiques. Il paraît
que j'ai de la condescendance pour les
poètes mineurs. Et pourtant par là on
entend Pétrus Borel, ce colosse,

Oui, je lis. J'ai ce ridicule. J'aime les
beaux poèmes, les vers bouleversants,
et tout l'au-delà de ces vers. Je suis
comme pas un sensible à ces pauvres
mots merveilleux laissés dans notre nuit
par quelques hommes que je n'ai pas

connus. J'aime la poésie. Je suis en
mesure de le faire. Pouvez-vous en dire
autant ? Vous restez confondus devant
ces lignes inégales, devant ces pages
noires, devant ces échos muets pour
vous. Vous croyez qu'on se moque. Vous
jetez les yeux sur l'écriture, vous fron-
cez les sourcils, vous vous agitez avec
impatience. Vous cherchez à prendre
une attitude ironique. Vous essayez de
dire : Allons donc. La gravité de mon
visage arrête comme un mur le petit
attelage de vos plaisanteries. Vous com-
mencez à vous fâcher. Alors je change
les livres étalés sous vos yeux, car je
vous sais à jamais fermés aux poètes.
J'en mets d'autres, et je ne permets pas
qu'on rit enfin. Voici Vauvenargues. Je
veux que vous le lisiez d'un bout à
l'autre à haute voix. Voici l'ouvrage sans
égal que Benjamin Constant consacra
à l'étude des religions. Voici la parole
sévère, Alphonse Rabbe. Voici la prose :
l'Eve Future et la bataille de Morsang.

Voici Francis Poictevin, ce Fantômas.
Voici le ton de voix, Jacques Vaché,
Voici la Transition, les Pas perdus. Et
me voici moi-même avec les livres de
mon choix. Je vous parle en toute autorité. Je sais quand une phrase est belle,
et je sais ce qu'elle signifie. Je ne m'arrête pas à vos faibles oh oh. Ils sont les
fils de l'incapacité. Vous n'êtes pas
capables de lire d'une haleine le contenu
de ma bibliothèque. Vous ne savez pas
apprécier le style et vous prenez cela
pour une supériorité ! Voilà comment,
si, au lieu de tenter de vous intéresser
à Charles Cros en disant qu'il est l'inventeur du collodion et de la photographie
des couleurs, je vous récite :

> *Moi dix-huit ans, elle quinze ans*
> *Parmi les chemins amusants*
> *Nous allions sur nos alezans*

ces vers admirables vous mettent hors
de vous. Vous demandez si l'on se
paye votre tête. Vous trouvez cette cita-

tion incompréhensible, en tant que citation, et par ailleurs bébête. Minus
habentes, c'est votre comprenotte qui
est gâteuse ! Je me résume : Rimbaud
n'est pas une machine à décerveler les
poètes. Outre Valmore et Siffert, il
aimait beaucoup Théophile Gautier,
qu'il a parfois démarqué. Je l'approuve.
De même Baudelaire a traduit Edgar
Poe. Bravo. Le style n'était pas pour
eux lettre morte. Osez prétendre le contraire. Mais les mouches dont je parlais
et que je comparais à des mules, les
moules en un mot qui se sont accrochées
à la quille du Bateau Ivre — l'occasion me
semble bonne pour dire que toute allu-
sion à ce poème est le signe le plus certain de la vulgarité — les moules éta-
blissent entre Rimbaud et elles, un lien
illégitime.

Ici j'abandonne d'une façon passagère
la question style, pour me préoccuper
plus précisément des lieux communs en
vogue essentiels à cette désaffection

idiote des questions techniques qui
signale les générations présentes plutôt à la pitié qu'à la considération. On
sait que le propre du génie est de fournir
des idées aux crétins une vingtaine
d'années plus tard. Il serait injuste de
lui en tenir rigueur. Mais il est intéressant de lui en tenir compte. Ces idées
ont pris peu à peu une forme axioma-
tique, ou thématique, assez différente
de leur expression première. Elles
deviennent conneries. La mode alors
s'en empare. Tyranniquement. Il est
instructif, j'écris ce mot pour la première fois de ma vie, de noter le genre
de réussite partielle de certains esprits,
d'établir entre la part de leur pensée
qui sombre dans l'indifférence et celle
qui connaît les grands feux de la méca-
nisation proverbiale une relation forcé-
ment humoristique et féconde, de regarder s'épanouir la fleur d'imbécillité dont
les racines plongent avant dans le tuf
inspiré des cervelles de premier choix.

Filmez au ralenti la continuité d'un sentiment respectable, comme celui qui unissait Madame de Warrens et Rousseau, avec les autocars appliqués qui vont pèleriner aux Charmettes. Représentez-vous les étapes de cette floraison, l'organisation dans des bureaux savoyards des caravanes excursionnistes, et la femme de ménage qui balaye pour elles sous le lit duquel tout à l'heure le guide gravement dira : « C'est là qu'ils ont foutu ». Ceci cependant est un phénomène banal, en rien différent de la germination de la vermine sur la viande, et les sociétés d'anciens amis des morts, les biographes fouille-merdes, les amateurs de reliques, les pucerons migrateurs attirés par la putréfaction de la gloire appartiennent à la vulgaire alchimie funèbre de la pourriture universelle. Plus curieuses sont les filiations mentales du grand homme à la pauvre tête encombrée de végétations. Les passerelles de l'idée au réflexe. Du cubisme

à l'affiche *Pivolo*. De Jeanne Duval la
Vénus Noire au bal des 4'Z'Arts et aux
femmes dorées du Casino de Paris. Au
Moulin Rouge une jeune fille nous dit :
Et maintenant vous allez voir quelques
Fleurs du Mal, du grand poète Charles
Baudelaire. Le fox trott Salomé. Le
Marquis de Sade au Grand Guignol.
Usage de la téléphonie sans fil. Mon ami
Robespierre, par Henri Béraud. La prise
de la Bastille et la revue du 14 juillet.
M. Louis Barthou renifle les draps de
Victor Hugo. Un juge d'instruction écrit
un livre sur Rimbaud (1925). De 1791 à
nos jours le concept Patrie. Tout le
comique réside en une certaine imagination rétinienne de la persistance.
L'humanité aime à parler proverbiale-
ment. A faire rentrer dans un cas connu
l'éventuel, et plus encore à s'en remettre
à une expression connue des sentiments
qui l'inquiètent. Elle pense par déléga-
tion. Des mots qui l'ont frappée lui
reviennent. Elle s'en sert comme on

fredonne un air inconsciemment retenu.
Ses poètes, ses penseurs contribuent
ainsi à sa crétinisation. On peut mesu-
rer l'influence et la force d'un esprit à
la quantité de bêtises qu'il fait éclore. »

Grossièrement autour de certaines
cristallisations automatiques se groupent
les idées d'une époque. C'est ce qui
constitue le développement historique
intellectuel, c'est à quoi l'on fait allu-
sion, parlant de progrès, de civilisation,
d'éclairer. C'est aussi ce que les pro-
fesseurs des universités comprennent
confusément, car tout leur enseignement tend à confirmer quelques pont-
aux-ânes, à s'attirer de la part des bons
élèves la Réponse de laquelle tout est
nuit. Les responsables d'un de ces
principes référables, les premiers fau-
teurs de ces propositions condamnées à
la stéréotypie, sont les véritables pion-
niers du pôle à jamais glacé de l'intelligence humaine. Souvent leurs noms
sont retenus et balbultiés sur les chape-

lets de la reconnaissance mais plus
souvent encore ils disparaissent de la
mémoire. On se fera une idée de la
gloire en songeant que le principe
moteur de la presse américaine, ce
sperme d'un continent, est un concept
enfant trouvé, l'Homme-dans-la-rue, et
qu'il n'existe même pas une monogra-
phie de quatre pages qui ait essayé d'en
situer l'origine, le développement et la
portée. Cependant il dut avoir un père,
cet Homme-dans-la-rue, et à quoi bon
retenir tous ces noms de présidents et
d'amiraux, si le pur centre de la pensée
de votre pays, historiens des Etats étoi-
lés, reste comme une tache d'ombre
innomminée ?

A rien ne sert de contester le contenu
de tels concepts. Ils sont les véritables
faits intellectuels et par exemple la
formule « l'homme descend du singe »
sera toujours plus forte que le darwi-
nisme. Elle est le fait, il ne l'est pas. Un
mot ou une formule, voilà les véritables

acquisitions intellectuelles. Il est enfan-
tin de les combattre. Pilules Pink Pour
Personnes Pâles : qu'avez-vous à dire
contre ça ? Rien ne pourra plus empêcher
que Pilules Pink Pour Personnes Pâles.
Vous ne voyez pas d'ici un gros rou-
geaud qui prendrait des Pilules Pink!
Et dans le même ordre d'idées, il faut
reconnaître l'extrême importance d'une
innovation verbale de M. Victor Mar-
gueritte. Je veux parler du mot *Garçonne*.
On perdrait son temps en subtilités, ce
mot a fait plus pour l'émancipation des
jeunes filles que le législateur Naquet
pour celle des femmes mariées. On a
obtenu le lynchage de nombreux auto-
mobilistes par la répétition de l'appella-
tion *chauffard*. Par contre M. Gide a
complètement échoué en lançant le mot
babylan qui n'a pas fait fortune. *Le sol-
dat inconnu* a été plus heureux : il est
milliardaire. Le dessinateur Barrère a
donné au monde entier une conception
du bolchevisme, le couteau entre les

dents, qui prévaut. Les exemples ne manquent pas, mais je me confinerai à certains concepts récents qui règlent plus précisément la pensée des milieux artistiques et littéraires contemporains et par leur intermédiaire celle d'un nombre flottant de lecteurs en majorité mineurs que ces quinquets profession- nels attirent.

O grands postes émetteurs, que pen- sez-vous de votre destinée ? Sans doute vous avez marqué de votre sang la pensée humaine, mais devant le teintu- rier qui porte votre nom, vos souffles anciens se mêlent-ils au vent qui fait jouer les grands rideaux d'écarlate ? Il est permis d'en douter. Dans votre saute-moutons d'étoiles aviez-vous prévu le cache-cache des rats de cave ? Le ciel a priori peut-il imaginer les yeux au ciel de l'hypocrite, la pluie la gouttière, Baudelaire le Chat Noir ? Pourtant MM. Marcel Raval, Max Jacob, Odilon Jean-Périer sont considérés comme des

poètes rimbaldiens! Le panache blanc
d'Henri IV attire jusqu'aux ramoneurs.
Les paroles prononcées sur les échafauds
ne sont pas entendues que par l'exé-
cuteur des hautes œuvres. On assiste à
ce déconcertant spectacle : elles sont
reprises par des garnements de tous les
acabits dans des espèces de complaintes
qui se chantent dans les plus mauvais
lieux. Tout leur est pittoresque, y
compris l'agonie. Puis ces paroles
deviennent mots d'ordre, et sont lan-
cées en l'air comme des casquettes. Les
turbulents écoliers s'y trompent et
croient voir s'envoler les oiseaux. Pauvres têtes détraquées, sales petits cail-
loux qui s'inventent des miracles, mais
qui ne peuvent que les chiper dans la
poche d'autrui. Ah vous n'avez pas vu
les astres dans vos billes, vous. Ils systé-
matisent à qui mieux mieux un esprit
d'inquiétude passagère, et tendent à
l'imposer pour une révolte sans fin.
Mais dans un traité du style il faut que

nous étudions les formes épisodiques
de la révolte, leurs origines, leurs évo-
lutions, car la première question est de
voir comment diable l'histoire est écrite.

La balle qui tue Dovalle en duel
traverse, avant d'atteindre son cœur,
un poème pour une femme. Ce n'est
pas tout ce qu'il faut dire du romantisme. Mais aujourd'hui plus de duels,
et si par extraordinaire un poème pour
une femme vous tombe sous les yeux,
même cousu de l'évidente aiguille du
revolver, vous serez plus incompré-
hensifs que l'héroïne du Sonnet d'Ar-
vers. Vous ne soupçonnerez pas une
femme sous ces étincelles. Du port du
gilet rouge au goût du suicide, tout n'entre pas dans l'expression mal du siècle.
Ces signes extérieurs de *quelque chose*
qu'on a voulu définir, avec les années
se transforment. Il y a loin de Georges
Brummel aux pinces à pantalon d'Alfred
Jarry, cependant l'idée de dandysme se
perpétue ici où l'on ne retrouve plus la

conception première du dandy. Sans doute on soutiendra qu'il n'y a pas entre Byron et Wilde un saut infranchissable pour la cavale du rapprochement. Cependant les chutes du Niagara seraient incapables de combler la distance du suicide de Werther au suicide de Jacques Vaché. D'une part ceci et cela se tiennent étroitement, mais ce n'est pas un couple d'amants, non plus l'étreinte de deux lutteurs. Alors quelle est la relation d'autrefois et d'aujourd'hui? D'où cet aspect commun et qu'est-ce qui fait la différence? Que s'est-il passé? Cela crève les yeux. Ce qui semble unir ces facteurs de révolte, ce n'est pas leur personnalité, mais l'opposition qu'elle rencontre. Au bout d'un siècle la bêtise n'a pas bougé.

Les couillons, les cafards, la gadoue, les pieds plats sont encore par exemple du plus pur Restauration. La crasse une et indivisible. L'attitude des porcs a été la même devant Lamartine et devant

moi. Mais il y a entre l'auteur des
Secondes Méditations et moi un abîme
qui ne doit pas être pour vous une occasion de rigoler. Je donne la préférence à
n'importe lequel des poèmes du Mouvement Perpétuel sur Le Lac, il ne faut pas
vous y tromper.

O crabes majestueux du romantisme,
vous marchiez de côté déclamant d'une
pince et de l'autre tenant sur le papier
du livre l'expression souvent géniale de
votre désespoir. Mais ce désespoir quel
était-il? Son fondement, sa signification,
sa portée? Personne n'en a jamais rien
su. Dans le monstrueux rocher de vos
cœurs, brillaient d'éclatantes étoiles,
vous tiriez à la carabine contre le soleil,
et de vos hurlements magnifiques, vous
mouchiez le nez de l'orage, où gîte une
morve d'éclairs. Très bien, c'était là sans
doute tout ce qu'il y avait à faire. Les
proies jetées en travers de la selle turque
des alexandrins, les chevelures blondes
dans le Maëlstrom, l'énorme sous le pas

d'une mule, les monarques disant :
Bobonne ! la prose devenue Mazeppa, sur
tous les bancs de la raison humaine
hourra ! nous sommes d'accord. Mais
peu à peu dans l'ombre de ce siècle épi-
que, on vit à côté des brandisseurs de
chibouks s'élever une fumée très bleue.
Il y avait des pipes dans la nuit. Imbéciles ne cherchez pas à comprendre cette
image. Ne vous demandez pas qui et
quel jour. La précision naît d'elle-
même : elle n'a pas d'auteur. Comme je
viens de le dire, le phénix de la destinée individuelle pendant qu'on n'y
prenait pas garde avait silencieusement
surgi sur le bûcher des cris poétiques.
L'homme se trouva soudain coiffé de cet
oiseau. Il réfléchit. Qu'il y avait loin
d'un tel ébouriffement au chapeau
melon idéal ! Le dérisoire peu à peu
remplaçait le gigantesque. Anonymat
du muscle intellectuel. Et après ? reprend
le pas sur les pantoufles de la gloire.
Un beau jour les poètes ricanèrent.

L'absinthe humour vint s'asseoir auprès
d'eux, avec son regard de citrouille.
Romantisme, symbolisme, on ne sait
plus : la poésie était devenue impaya-
blement drôle. Les gens se tordaient.

On peut dire que la question, puisqu'il y a une question et pas plus d'une,
avait fait son petit banc de sable bala-
deur. A tel point que cela en vint à une
entreprise systématique d'échouage.
Voici le temps des naufrageurs. Quand
l'univers de ces Messieurs se fut bien
couvert de ridicule à discuter sur le vers
libre, on se prit à constater que deux ou
trois corsaires de lieux communs avaient
récemment jeté l'ancre dans les parages
de l'attention. Navires balancés par le
vent des menaces. Navires. Vous prêtiez
vos voilures à un règne de nouvelles
terreurs. L'un chargé de cyclamens, un
autre noir sans équipage, un autre encore, un autre pareil à l'adieu de la main
qui palpite. Au bout du quai les prome-
neurs riaient toujours, riaient aux larmes.

Enfoncé Lanson! J'ai raconté toute
l'époque où il s'empêtre, d'une façon
telle que les rhétoriciens ne trembleront
plus devant le hoquet de l'interroga-
teur. Aujourd'hui tombe une grande
pluie et sur l'arbre j'ai vu monter per-
pendiculairement le pic-vert. Je regarde
des cartes postales, je flambe des allumettes, je m'assieds par terre sous la
table, je mâche des scabieuses, je me
rappelle une chanson américaine, je me
mets à marcher en beuglant ce que
j'écris, j'ai appris tout à l'heure que mon
ami Leiris est à Athènes, et de fait c'est
avec lui que j'ai entendu chanter cette
chanson. Un autre jour l'hilarité fut à
son comble, c'est ce jour-là que du petit
rayon des curiosités littéraires, entre les
monographies absurdes et les productions de Bicêtre, venait avec une élégance formidable de se dérouler le Boa
joueur de gâchette, Isidore Ducasse,
comte de Lautréamont. On laisse à
penser que ça n'alla pas tout seul.

Nous sommes en 1927. Année louche,
et les champs sinistres où l'œil de
l'homme saute comme un crapaud,
ruissellent de paradoxes, puent de cha-
rognes mentales. Je m'adresse aux gouvernements : Gouvernements… mais
c'est en vain ils ne pensent qu'à leur
bifteck. Ils ont bouffé du Chinois toute
l'année, maintenant ils ont mal au cœur
et chicotent pour cure-dents des insur-
gés et des grévistes. Donc je m'adresse
à la jeunesse, mais voyez-moi les jeunes
gens, comme ils supportent le train-train
du monde. Foireux comme jamais. Ayant
trouvé le truc. Ils sont assis très paisi-
bles au milieu des machines infernales.

Elles ne partiront plus, ces bombes
cent fois renversées. Je ne suis pas
inquiet pour la vie de ces jongleurs. Ils
ont trouvé le truc, pour que ce qui s'était
encore présenté de plus perfide, de plus
subversif à l'égard de l'habituel petit jeu
de société, entre leurs doigts habiles se
tourne en mitrailleuse, non plus contre

leur sécurité personnelle, mais contre ses ennemis possibles et la probable insinuité de leurs imaginations futures. C'est l'heure du sophisme triomphant. Le préfacier de Rimbaud ambassadeur à Washington, Baudelaire déguisé en thomiste, Hugo conduit par Daudet à la Fourrière, un certain Chassé vous met Jarry dans sa poche, Darwin condamné en Amérique, Freud traîné dans la boue en France, Paul Valéry académicien, allons ça ne va pas mal. Il semble que dans de telles conjonctures il se trouve quelqu'un quelque part que ça empêche de dormir. Ah bien c'est un rêve. Et pourtant qu'est-ce qui arrête ainsi, qui entrave soudain la conscience humaine? Quelques bourdes tirées de nos meilleurs auteurs. Venons-en donc enfin à ces vérités *modernes*.

Tout l'irréductible de certaines vies, le refus qui compromet tout, l'impossibilité de s'accommoder d'un destin et d'un seul, la nausée enfin, l'immense

vague qui emporte tout, aura servi de
prétexte à une série de petites nostal-
gies bourgeoises. Aujourd'hui qu'on ne
cite plus Horace pour se glorifier d'être
médiocre, on évoque avec à propos
l'existence des héros admis pour faire
entendre que la vôtre pourrait bien un
jour tourner comme la leur. En atten-
dant on mange ses hors-d'œuvre. Cette
façon d'agir est parfaitement illustrée
par M. Philippe Soupault, qui fait
depuis un nombre croissant d'années de
la littérature avec le verbe *partir*. Le
départ, on ne sait pour où, pourquoi ni
comment, mais le départ. D'où un grand
goût pour les gares et les bagages, pour
les affiches des compagnies maritimes,
etc. Pour les livres de voyage, et les
contes de M. Morand, etc. Chœur
d'opéra qui chante . Partons, partons,
sur place. Assez de ce langage de fusil
rouillé ! Verlaine. Par la même occasion
il faut se faire une idée des voyages, des
gens qui croient que c'est quelque chose

de voyager. Aujourd'hui que la terre est quadrillée, bichonnée, macadamisée, il y a encore des mecs à la mie de pain qui parlent avec un sérieux vraiment papal d'être parti, comme le numéro un parlait de partir. Changer de pays leur paraît dangereux. Et quand ça serait dangereux, qu'est-ce que vous voulez que ça nous foute que vous risquiez vos tibias dans les accidents de chemin de fer ? Toujours est-il que quand ils ont vu le Kamtchatka, ou Saint-Nom-La Bretèche, ces Messieurs ne se prennent plus pour de la merde de chien. Il ne ferait pas bon leur dire qu'ils ne sont que des littérateurs comme les autres. Comment, un homme qui revient de Pontoise ! Depuis mon plus jeune âge j'ai pris en horreur les individus qui vous racontent leurs vacances. Voilà donc une seconde catégorie de gens qui ayant connaissance du cas Rimbaud, comme on dit, ont trouvé dans ce cas une raison d'être.

Troisième catégorie, très voisine de la seconde, avec un petit raffinement : les zigotos qui tournent de l'œil quand ils prononcent le mot aventure. Les voyages, ils en ont vu le bout, même les voyages autour de leur chambre. Mais ils attendent une grande révélation sur la signification générale du monde du premier bonze qui leur proposera une partie de zanzibar. De n'importe quelle rencontre. D'un café qu'ils ne connaissaient pas. Ils sont enclins à la partouse. C'est une race d'optimistes à tous crins. Ils ont toujours une histoire à vous raconter. Fuyez-les comme la peste.

Quatrième. Ici le départ, l'aventure, le voyage, se sont déconcrétisés. On peut dire que le principe qui les remplace est dépourvu de représentations, même indécises. Il est basé sur une comparaison fausse. C'est l'évasion. Douce perspective, de moins en moins dramatique, à mesure qu'elle se généralise et devient plus idiote, qui dès maintenant n'est

rien d'autre que la forme contemporaine du vague à l'âme. Ce qu'évasion
signifiait d'abord on le sait. La rupture
des liens d'habitude, l'issue hors d'une
société donnée, la vie ailleurs recom-
mencée, l'anonymat retrouvé. De nos
jours chacun de ces facteurs chaque
jour revêt un caractère d'improbabilité
plus marqué. L'homme de ce temps a
tout de même appris à reconnaître sous
des variations d'ailleurs infimes un
unique esclavage social. De même qu'on
peut fixer précisément la date à laquelle
le partage du globe fut un fait accompli,
où l'appétit de l'homme ainsi toucha
pour la première fois sa limite, de
même l'illusion de la liberté, dans ce
sens spatial, prit fin à l'instant où se
fut clairement formé pour l'esprit un
système général qui réunit comme les
parties d'un corps les parties sociales du
monde. La notion de la relativité des
Thébaïdes, lente à naître, ne sera plus
jamais écartée comme un mauvais rêve.

Il est remarquable et logique, vraiment, que ce même instant abolisse à la fois le sens du mot évasion, et soit celui de sa diffusion la plus grande. L'évasion impossible chacun songe paisiblement à s'évader. Postponement lâche et mystique de toute action, extincteur de l'énergie la plus vulgaire ou la plus haute. Nous assistons à un transfert affectif de toute vie au profit d'un sale petit univers fictif, individuel, où chacun se rebâtit la terre à sa chassieuse image. Supposez soudain qu'en réalité vous êtes en prison : la belle commodité ! Voilà la fin de toutes vos craintes, de vos soucis ménagers. Plus un geste ne vous engage, puisqu'un jour vous serez libéré. Comme tout se simplifie, et puis il y a l'espoir, qu'on avait chassé par l'escalier de service avec toute la racaille des prêtres, et qui rentre maintenant par la grande porte, ouverte à deux battants. Ils se sont rebâtis un paradis virtuel, qui niche

quelque part en Afrique. Anodine transformation des Mésopotamies. Comme
n'importe quel fils à papa, l'optimisme
est devenu rimbaldien : il ne manquait
plus que cela ! Ah sera-t-elle assez
grande la rage, la rage bénie, qui bri-
sera leurs tympans matelassés de cire où
se dorlotte leur petite surdité heureuse
ignorante du tonnerre ! Qui leur fera
FINALEMENT entendre qu'il n'y a pas
d'espoir, qu'il n'y a rien à attendre, que
c'est comme çà, qu'ils sont des autruches, des avortons, des monstres, bébés
barbus, magots hystériques, qui tout en
appelant un ciel hypothétique tètent
bien goulûment encore à leur nourrice
paysanne ? Qu'on me donne le haut-
parleur pour que mon cri au loin s'en-
tende, et, révélant le secret de la nouvelle église, dissipe le mensonge infâme
au moment de se reformer : *Il n'y a de
paradis d'aucune espèce !* Allons, évadez-
vous, pour voir. Demandez aux pal-
miers ce qu'ils pensent dans les pots de

Madame votre mère. Pour le genre
Latude, suffit.

Mais voici les bouffons qui se prennent la tête à deux mains. Gens que
seule la digestion rend apoplectiques. Ils
zigzaguent, est-ce le vin ? Ils soupirent à
casser les vitres, ils agitent les bras, se
jettent contre les murs, crient : Aïe,
et regagnent tant bien que mal le
centre géométrique de la pièce. L'honnêteté, l'incertitude et la bêtise sont
inscrites sur leurs ongles rongés. De
temps en temps ils se calment. Puis ça
reprend de plus belle. Vitrier, vitrier,
ne vous éloignez pas trop vite. Ils se
tapent le front que c'est un bonheur. Ils
grimpent aux cloisons comme de bons
singes qui s'exhibent. Ils retombent
pesamment à terre, se font mal à leurs
gros petons, et le disent. Ils demandent
la porte avec des larmes dans la voix,
auraient-ils donc envie de pisser ? Pas
du tout. Ces déments inoffensifs se
prennent pour des poissons entrés dans

une nasse. Ils ont de leur existence une
représentation linéaire, ou même plusieurs représentations linéaires. Ils
croient avoir eu le choix d'aller de B
en C, et se reprochent de ne pas être à Z,
à Y. Ils pensent avec simplicité que
dans la vie il s'agit bien d'aller d'ici à
là. Ils croient marcher. C'est une sensation que vous avez tous eue en rêve.
Dans les comiques au cinéma, quand le
paysage file de plus en plus vite, et que
l'acteur essaye en glissant de le rattraper. Nos hannetons, je veux dire nos
ablettes, se croient dans ce qu'ils
appellent un cul-de-sac, et cherchent ce
qu'ils appellent une issue. Issue à quoi,
c'est ce qu'on se demande. Ce sont les
possédés du mot *impasse*. Ils l'ont à la
bouche, comme des chiens qui ne
veulent pas quitter leur vieil os. Inutile
de rien leur expliquer, vous déchaîne-
riez une crise. Nous sommes dans une
impasse, comment sortir de cette impasse, une terrible impasse, etc., ceci

ne mène à rien, nous n'aurions pas dû
venir ici, que faire, etc., on ne peut
pourtant pas se fiche à l'eau, etc. Passons.

Mais je salue, d'une façon très hum-
ble, jusqu'à terre, ceux qui s'avancent
maintenant. Sont-ils les véritables sages,
je ne le saurai jamais. A supposer par
grande audace qu'ils se sont, eux, trom-
pés, et que tout contre eux a raison,
comment réprouverais-je un égarement
sans retour, qui suppose un instant de
gravité parfaite, et le *tout bien pesé* qui
suffit à faire du monde un néant ? Je
regarde passer le cortège des suicides.
J'ai horreur des plaisanteries sur ce
sujet-là. Parfois la conversation s'en
empare. Une très grande répugnance
m'y tient alors étranger. On m'interroge, et je ne puis que dire combien
tout homme me paraît fantoche, combien je m'étonne de voir se poursuivre
la vie, que les suicides sont les seuls
morts par moi, mais véritablement

respectés. Je m'attire des remarques
sévères. Qu'est-ce donc que j'attends en
ce cas ? Il est vrai. Je ne me suis pas
tué. On peut le voir. Il est possible à
toute heure du jour de le constater. La
dernière ordure humaine peut poser sa
main sur moi, et rire. Je ne me suis pas
tué. C'est juste. Quel plaisir avez-vous à
une si déprimante observation. Je suis
vivant. Tout comme un autre : je ne dis
pas cela pour m'excuser. Je ne me suis
pas tué, non faute d'y avoir pensé. Tout
à l'heure encore. Tenez, je me disais
pourtant ce serait d'une simplicité
enfantine. Cela chasserait si bien plusieurs pensées. Et je suis seul témoin de
ce que cela comporte. Je ne me suis pas
tué, et tout ceci sombre dans un ridicule écrasant. Chère meule, ne t'éloigne
pas ainsi de ma tête. Qu'est-ce que je
disais donc ? Ah oui. De toutes les idées
celle du suicide est celle qui dépayse le
mieux son homme, après tout. Ceci dit,
n'est-ce pas, silence. Tuez-vous ou ne

vous tuez pas. Mais ne traînez pas sur le
monde vos limaces d'agonies, vos cha-
rognes anticipées, ne laissez pas passer
plus longtemps de votre poche cette
crosse de revolver qui appelle invinci-
blement le pied au cul. N'insultez pas
au vrai suicide par ce perpétuel halète-
ment. Plus bas, cent fois plus bas que
celui qui s'étonne et demande pourquoi
ce fourneau à gaz ou cet ascenseur, est
celui qui comme un pou vorace, ayant
compris la grandeur d'un tel destin, vit
dans l'ombre du mancenilier sans jamais
s'endormir, celui qui vaquant à ses
affaires se réserve une heure par jour de
funèbre désespoir.

Loin de ces odieux, pensons sans
passion au suicide. Il est vrai qu'il
semble un peu mieux qu'aucune de ces
solutions dont je parlais apporter un
changement à ce qui nous est donné.
Il est vrai qu'au moins ici je joue sur ce
que j'ignore. Il est vrai que très naturellement je ne puis que penser à la pre-

mière personne quand il s'agit du suicide. Il est vrai que quand je vois les
ignorantins qui se cherchent des raisons
de vivre, je m'indigne et je dis : Comme
s'il y avait des raisons de vivre ! Mais
qu'alors on en déduise qu'il y a des raisons de mourir, voilà pourtant ce qui
m'échappe. J'ai lu avec une émotion
très grande les derniers mots laissés par
quelques-uns de ceux qui se sont ainsi
séparés de tout, et sans doute, quoique
cette phrase à s'achever soulève en moi
je ne sais quelle obscure réticence, qui
se sont séparés d'eux-mêmes. Les mots
humains, la pensée, ne peuvent que
par des allusions vagues et terribles et
toutes chargées d'un esprit de démenti,
exprimer les choses de l'anéantissement
de celui qui parle. Tout le langage
employé, la paix du tombeau, se repo-
ser et même se détruire, suppose la
persistance d'un être, et pas de n'importe quel être, de moi, inchangé, moi
que je touche, le même, avec ses

malheurs, ses insomnies et les affreuses
mouches des hantises vainement fuies,
pauvre cheval, inutile de galoper. Oui,
même dans ces lignes ultimes où Rabbe
a repoussé plus loin qu'aucun autre la
croyance à quelque chose au delà de
cette imminente mort résolue, un vague
doute, une proposition circonstancielle
encore... Se tuer, j'en demande pardon
à ceux qui se tuèrent, se tuer pour moi
signifie cependant cela. Je ne crois pas
à mon pouvoir. Je suis un homme qui
n'a pas la clef d'une porte qui n'existe
pas. La vie est un fait, et en tant que
telle indiscutable. Que voulez-vous donc
dire quand vous me demandez pourquoi
je vis encore ?

Partir, voyager, s'évader, se tuer,
infinitifs pris sur le ton de l'évidence.
A ces leit-motivs s'en opposent qui se
conjuguent aux temps personnels, aux
temps dérivatifs. Dans un cas comme
dans l'autre, il s'agit toujours de paradis. Toutes ces fameuses solutions à un

problème jamais posé, ou réduit de temps à autre à de lamentables truismes, sont en effet absolument identiques. Les avis ne varient que sur la situation géographique du paradis. Celui des Juifs qui ne franchissait pas l'Euphrate paraît mesquin au nomade, type Jack London-Cendrars. Les chrétiens situent le leur sur un prie-dieu, genre Bernadette, et Thomas de Quincey dans la pierre noire du sommeil. Il faut protester contre l'expression : Paradis artificiels. C'est un pléonasme. Il n'y a pas de paradis naturel. Cette formule a eu sa raison d'être, elle était l'entorse donnée à la réalité pour s'adresser à des sauvages fanatiques. On peut aujourd'hui le dire, les paradis religieux sont de simples façons de parler, sans ameuter la police, de plaisirs érotiques très spéciaux qui ne vont pas toujours jusqu'à l'éjaculation. Je parlerai des pratiques religieuses.

Quand l'homme revêtu du scaphandre

eut fouillé les boues à globigérines au fond des mers, quand il eut bravant le serein et les verrues compté les astres au fond des cieux, quand il eut maîtrisé la foudre et la tempête, penchant sa tête d'os sur un nouveau jeu de miroirs, il vit tout à coup face à face le tréponême pâle qui le fait mourir. Il n'eut pas peur. On pourrait multiplier les récits de rencontres semblables où les tressaillements du visage, bien compréhensibles, auraient été, j'en suis sûr, pardonnés. Cependant pas le moindre signe de crainte. Quelquefois au contraire une joie naïve se peint sur les traits du téméraire. Il appelle avec des rires, et une agitation gaie, presqu'heureuse, la femme qui partage sa couche et ses soucis : « Regarde cette fleur si belle, c'est elle qui contient ce poison mortel dont je t'entretenais l'autre jour », ou « Voici de quoi faire sauter un monde ! » ou « Viens vite, mes mygales font l'amour ! » Mais si une seule fois dans le verre à essai où se forment les précipités de la découverte, il avait aperçu sous les liquides démêlés l'abstraction soudain cristallisée ici de la Religion, alors, ne pouvant supporter un fantôme aussi épouvantable, il aurait bondi loin de sa table, et tremblant, perdu, sans voix, secoué par l'horreur et glacé, il aurait refermé derrière lui la porte du laboratoire maudit, il se serait arrêté pour apaiser de sa main les palpitations de son cœur. Il n'aurait pas appelé sa compagne. Toutefois, sinon pris au dépourvu par l'apparition soudaine de cette horrible pestilence, on peut considérer la religion avec froideur. Vous me demandez quelle mouche me pique. Vous prévoyez que je vais mal parler de la religion. Ce qui a couvert d'anathèmes, de malédictions, d'injures, de vomissements au cours des siècles tout ce que moi j'aime et vénère — recevra ici la monnaie de sa pièce. D'abord je ne sors pas de mon sujet et quand j'en

sortirais ? Si entrer dans le sujet mérite
des éloges, en sortir qui est l'effet de la
même volonté n'en mérite pas moins.
Afin de conserver à mes propos un
caractère général, et sachant à quelles
crétineries sont ordinairement conduites
les personnes qui s'embarrassent de
comparaisons entre les cultes, je n'envisagerai le sentiment religieux que dans
le christianisme, et n'étant pas un fana-
tique, plus précisément dans la religion
catholique. J'envisagerai le sentiment
religieux en tant que solution au problème de l'existence, au même titre que
l'évasion, etc. N'est-ce pas ainsi que les
choses m'ont été présentées à la lueur
d'un cierge par des hommes en jupons,
jadis, sur les bancs du catéchisme, dans
une église de banlieue, où de vieilles
demoiselles menaient les mioches sour-
nois en leur caressant les cheveux ? *Quo*,
unde, *qua*, la triple interrogation jetée
sans ménagement à ces âmes enfantines
pour les troubler définitivement n'est-ce

pas la vieille histoire aujourd'hui reprise
à l'usage des grandes personnes par les
intellectuels à la côte, les nymphomanes
de la destinée ? Que la vie est insupportable sans la religion, voilà le fond de
l'enseignement ecclésiastique. La religion se présente comme la panacée pal-
liative à tous les maux. Elle feint de
croire à l'immortalité, elle feint de pla-
cer dans un autre monde la récompense
des élus. Elle ne croit pas à l'immortalité, elle place dans ce monde-ci ses
joies. Elle propose au patient une méthode positive, laborieusement mise au
point, pour accéder à ses délices, et cela
d'une façon exclusive. De toutes les per-
versions sexuelles, elle est la seule qu'on
ait jamais scientifiquement systématisée.
La *vertu* chrétienne garantie par l'ortho-
doxie y constitue un principe de nor-
malité, que la pratique de la confession
rétablit et maintient, tout comme la
psycho-analyse la sexualité dite normale.
Le problème est double : il s'agit de

7

détourner définitivement l'attention de
la sotte victime de tout ce qui pourrait
être préférée par elle à la pratique religieuse, en faisant concourir toutes ses
énergies à la production d'un plaisir
spécial, et en second lieu par là même
la mettre à la merci des fournisseurs de
drogue céleste, des patrons de bordels
à prier, des masturbateurs de cons-
ciences, tous maquereaux et maîtres-
chanteurs. Avant tout défense de foutre,
excepté dans la mesure où les pouvoirs
civils qui tolèrent et protègent par
grande faveur cette entreprise louche
ont besoin d'ouvriers et de soldats :
d'ailleurs avec la monogamie, l'interdic-
tion de se laver, dès qu'une femme est
enceinte, le couple redevient vite la
proie des prêtres, qui lui ont appris à
agir *religieusement* même au lit, et le
sperme sert enfin à leur dieu, comme
ils disent par euphémisme, il remonte
au cerveau, passez-moi l'expression. La
prière peut alors avoir tous ses effets et

bien appliquée fait concurrence aux
émissions nocturnes, je ne parle pas des
macérations. Remarquez que pour que
rien ne soit perdu, l'église attire à elle
tous les goûts, appelés vices [1] dans le
siècle, en adaptant aux sujets les images
obscènes qu'elle leur fait défiler sous
les yeux. Les diverses images de Jésus,
du petit caleçon de la croix aux flagel-
lations, jusqu'à l'invraisemblable Sacré-
Cœur, tous les martyrs, etc., quelle
ample moisson pour les sadiques. Aux
masochistes les peines de l'enfer, la me-
nace, le fouet permis. Aux fétichistes
scapulaires, reliques, les jarretelles de
Marie, les chaussures des saintes. Toutes
les inversions sans y penser, comme

1. Si l'église catholique avait cherché de bonne
foi la réduction de l'absurde concept du vice, tentative qui est celle du marquis de Sade, elle aurait
droit à quelque considération. Mais je t'en fiche.
Elle a étendu l'idée du vice au delà de la sottise
courante et voilà tout. Il y aurait à parler de la
naissance de l'idée de vice : je suis pour l'avorte-
ment.

c'est commode pour les gens honteux !
Que de vierges pour Lesbos, de Saint-
Sébastiens pour Sodome ! C'est ainsi
que tout tourne à la gloire du Sauveur,
dont le nom enfin s'explique, comme
cette parole obscure jusqu'alors : *que
vos péchés vous seront remis*. Les larmes
qui coulent aux pieds des autels *rachètent*, vous entendez bien, *rachètent*
celles qu'on fait couler ailleurs. Ainsi
toutes les forces détournées trouvent à
l'église un emploi qui évite au monde
le scandale. Les maniaques de l'inac-
complissement se font les frôleurs de la
divinité, mais si votre tempérament
le permet, quand l'hystérie aura fait son
œuvre, vous deviendrez des saints, vous
souillerez vos pantalons dans vos ex-
tases, vous entendrez des voix, vous
toucherez même *la robe* des anges.

Cette méthode a retrouvé récemment
quelque faveur chez des écrivains qui
ne savaient comment sortir du petit
piège où ils avaient imprudemment mis

le pied, pensant que ça faisait bien.
Outre le fracas toujours exploité des
conversions, on peut estimer qu'honnê-
tement les convertis sont brusquement
séduits par une conciliation offerte de
ce qui constitue leur vie, qu'ils le veuil-
lent ou non, et de l'idée qu'ils voudraient donner d'eux-mêmes. Toutes
réserves faites sur la dégoûtation, il n'y
a pas très loin de ce genre de solution
à la solution sportive, qui au moins a
l'avantage de ne pas représenter l'abrutissement par la course à pied comme le
résultat d'une métaphysique. Comme il
ne s'agit ici que d'écarter d'une façon
raisonnable, et non pas avec la fureur
du sectaire, l'*arrangement avec le ciel*, au
rang des autres sophismes invoqués
pour justifier l'activité humaine la plus
mesquine et souvent la plus basse, je
me bornerai à constater que la dévotion
ne fait pas faire un pas à la question.
Elle se contente d'offrir quelques diver-
tissements que je me retiens de juger,

des passe-temps. Il n'est pas un homme
sensé qui puisse se laisser attraper à
cette image grossière du bonheur. La
religion fait ici une rentrée du genre
fâcheux. On parlait d'autre chose, ne
nous troublez pas. Il y aurait peut-être
encore à dire que ces jours-ci un néo-
thomisme qui ne s'attaque plus tant à
la science qu'aux lettres et aux arts,
cherchant à faire des poètes influents
comme Baudelaire, Rimbaud etc. les
piliers de l'église, s'est déchaîné, quand
la conscience est venue aux sectateurs
de l'Hostie que de ce côté pas mal d'esprits leur échappaient, fait nouveau,
dont il n'avait pas encore été tenu
compte, et qui demandait un réajuste-
ment de la machine à ce facteur psychologique imprévu. *Les Litanies de Satan*
preuve de l'existence de Dieu... Mais
nous connaissons depuis longtemps
cette vieille mécanique. Il ne faut pas
discuter avec elle.

Il est à remarquer que dans tous les

domaines les mêmes patrons servent à fabriquer les objections de la sottise et de l'hypocrisie. Qui ne se souvient d'avoir entendu débiter âneries sur âneries à propos de l'athéisme ? Cela se réduisait toujours à cet œuf de Colomb que si le petit Quinquin ne croit pas en Dieu, il n'y a pas de raison pour qu'il ne pisse pas sur tes bottes. De même nous avons entendu dire que si on abolissait la propriété Fanfan la Tulipe faute de l'appât du gain se tournerait les pouces. De même aujourd'hui nous entendons déclarer que l'homme ne vit que d'espoir, et que s'il n'espère pas quelque chose il va sûrement faire ses petites marionnettes, et se tuer. Pourtant nous persisterons à déclarer qu'on vit uniquement sans espoir, que tout le monde vit sans espoir, et que le premier Médor qui a eu la riche idée de lever le lièvre de la couleur verte était un rude lapin ! Inventer la poudre, ça se conçoit. Mais l'espoir ! curieux, très curieux. Ajou-

tons pour ceux qui ne le comprennent
pas d'eux-mêmes qu'une autre singulière marotte est celle qui continue à
prétendre que le désespoir est le contraire de l'espoir. Quel charabia, mes
amis. En fait personne, contradiction
dans les termes, n'a de vue extra-ter-
restre. Les gens qui le disent sont des
menteurs. Ils ne pensent qu'au bonheur, parfois par parabole, mais au
bonheur. Illusion de dernier ordre qui
subsiste. Très curieux.

Le bonheur ! Vers quel siècle apparaît
donc, comme un paysan niais coiffé de
nielles entrelacées avec des sonnailles et
déguisé pauvrement, mais de façon bête
et provocante, avec un vieux costume
de marquis, épave d'une fête de charité
dont on a refait les parements usés en
lustrine rouge quand sur une charrette
de foin pendant une foire il fait son
entrée au milieu des danseurs surpris, le
visage exprimant le contentement et la
gloriole, — ce concept qui ne peut être

que récent ? Voilà une chose qu'on aimerait savoir, et pas un travail sérieux
pour nous renseigner ! J'aime à comparer les humains aux enfants de la vache,
mais quand l'idée du bonheur dans l'eau
de mon esprit remonte en guise de lu-
dion prouvant par là-même que le petit
bonhomme est creux, je trouve plus inju-
rieux et plus juste de les comparer à
leurs propres moutards. N'êtes-vous pas
honteux, de grands garçons comme
vous, d'aller toujours cacher votre nez
dans les jupes d'un mot ? Ça vous paraît
un but à votre vie, le bonheur ? Ça
vous paraît exister ? Oh le noir orateur,
s'exclament-ils terrifiés de ma petite
remarque, il ne faut parler ainsi, le
bonheur existe, comment ferait-on s'il
n'existait pas, quel jour sombre vous
versez sur toute chose, êtes-vous l'hiver,
ou le démon lui-même ? Mais non, je ne
verse pas un jour sombre, personne ne
verse de jour, le jour n'est pas sombre,
etc. Je vous posais une question. Réflé-

chissez une bonne fois. Si le bonheur
existe, au sens du mot existe, il se manifeste. Où se manifeste-t-il ? Au sens du
mot manifeste, dans un des quatre
règnes de la nature. Bien répondu. Dans
les minéraux ? Nous sommes peu ren-
seignés sur le bonheur des pierres. Dans
les végétaux ? Cela est déjà plus vraisemblable, toutefois le bonheur du tour-
nesol quand il regarde le soleil n'est
affaire que de vie ou de mort. Dans les
animaux, ah voilà où les distinctions
s'implantent, car, assez bizarrement,
vous ne prêtez pas vos sentiments à
l'oursin, ni même au cobaye, mais le
colibri, le chat, le singe et vous-mêmes
vous semblent avoir cet étrange aperçu
sur la destinée, cette vue d'ensemble,
qui dément toutefois tout ce qu'on sait
de l'étendue de vos capacités, sinon des
leurs. Représentez-vous un homme heureux, imaginez sa journée... C'est le
fameux tas de sable : à partir de combien de grains y a-t-il un tas, mais vous

pouvez concevoir un instant de bonheur, quoique ces deux termes déjà
étrangement couplés par une préposition qui exprime le partitif alors que le
bonheur est un absolu insécable, quoique ces deux termes jurent ensemble
puisqu'ils supposent l'infini fini, vous
pouvez concevoir un instant de bonheur, deux instants, trois instants,
quatre instants de bonheur. Cependant
à partir de combien d'instants y a-t-il à
proprement parler bonheur? Vous n'aurez pas l'insolence d'avancer un chiffre.
Je vous expliquerai que le mystère ici
est la différence réelle entre la juxtaposi-
tion et l'addition qui sont difficiles à
marquer dans le langage humain, ce qui
amène parfois une grande confusion
dans le monde. Oui, vous pouvez concevoir quatre instants de bonheur.
Même les concevoir en même temps.
Vous ne pouvez pas les additionner, car
si vous ne connaissez pas les crochets
des instants, vous connaissez encore

moins la trame du bonheur. Mais laissons là ce propos frivole. Retenez de tout ceci deux choses : bonheur est une idée limite qu'il faut laisser aux mathématiciens, et, aussi, vous ne savez pas ce que vous dites quand vous dites quatre. J'amorce ainsi l'exposé d'une théorie sur les parties du discours qui trouvera plus loin sa place. Je passe aux drogues.

J'ai dit : il n'y a pas de paradis, et encore : les paradis sont tous artificiels. Etant donné l'inadaptation manifeste de l'oreille et de la bonne foi chez le singe qui parle, vous êtes bien capables de voir là, sans tenir compte du contexte, une contradiction. Ces deux phrases n'étaient pas liées, elles entrèrent dans deux systèmes d'arguments qui reposaient sur des conventions différentes. Elles faisaient images. Car l'image n'est pas seulement comme on le croyait il y a dix ans un objet usuel décrit au moyen d'un nom d'animal burlesque, etc., mais

aussi la négation. la disjonction, 'e
général à la place du particulier, et bien
d'autres formes d'appréhensions de
l'idée purement syntaxiques, à inventer,
chaque fois. Il est tentant de développer
une image, c'est la développer déjà que
la conserver. Ainsi l'image Paradis artificiels, que je n'ai pas le grotesque militaire d'aller attaquer sous la plume de
Baudelaire, extraordinaire crypte imagi-
nable, telle aujourd'hui que nous la
retrouvons çà et là, témoigne d'une
façon très claire de l'origine du style
journalistique, est un lieu commun sur
lequel bien à tort on s'entend, qui ne
fait que dérailler, dérailler, dérailler. Je
le demande, y a-t-il un seul toxicomane
sérieux qui puisse entendre cette expression sans se sentir couvert des morpions
de la mauvaise humeur ? Il est certain
que pour lui *Paradis artificiels* est une
bergerie. Le j'aime mieux mes moutons
du mangeur d'opium ! Paradis artificiels ! On ne voit pas le priseur de neige

se disant, compère d'une revue donnée
pour lui seul : Et maintenant au Paradis artificiel ! Cela choque. Cependant la
superstition paradisiaque persiste. Pour
ceux donc, qui insisteront, je suis au
regret de leur dire que je les considère,
cela se déduit de ce qui précède, comme
des catholiques pratiquants. Le décor
n'est plus le même. La Chine des Gale-
ries Lafayette succède à la Palestine de
Saint-Sulpice. Et si je dépouille de toute
sentimentalité, de toute transfiguration
étrangère à cet exercice même, et l'effet
plus que de la drogue de la personnalité
qui l'opéra, il reste de ces rétablisse-
ments au trapèze édénique un passe-
temps que l'on peut préférer à la
bicyclette, mais qui n'en diffère aucunement.

Je sais que le goût du défendu confère
à la lueur d'une législation délirante un
ténébreux attrait à ce qui n'a pourtant
pas le moindre mystère. Tachez de
punir de mort le cyclisme, et vous ver-

rez. Pas l'ombre de dérision de ma part,
la défense de se piquer étant aussi singulière. Mais ça ne peut changer en rien
le contenu intellectuel des toxicomanies.
Contenu inexistant. Nul. L'escroquerie.
Tous ceux qui veulent nous présenter
sur le ton de l'aventure, de l'expérience,
ce remède incertain sont des esbrouf-
feurs. Il n'est pas lyrique de se droguer.
C'est tout simplement lamentable. Je
sais bien : lamentable et indifférent,
absolument égal à une infinité d'actions qui pour des raisons courantes
échappent à ce genre d'appréciation.
Lamentable comme tout, soit. Mais
lamentable. Rien de nouveau, rien que
ce qui est en moi, la même marchan-
dise sans fin. Cela vous change moins
qu'un costume. On me fait passer d'un
état dans l'autre, et il est absolument
sûr que si j'obtiens un instant d'exalta-
tion, j'en payerai la dépression avec
honnêteté. Et toujours la recherche
imbécile du bonheur. Rien de plus. Non

seulement la drogue est une pauvre chose, mais celui qui la prend, au moment où il la prend, obéit à une postulation misérable. Que veut-il ? Oh il ne se leurre pas, comme ensuite il essayera de nous leurrer s'il en parle. La poursuite d'une habitude. La crainte d'un manque. Un attrait négatif. Il veut se soustraire à la suite de sa pensée ou de sa douleur. Il croit qu'il peut s'y soustraire. Voilà ce que j'ai contre lui. Au nom de quoi se soustrairait-il à ce qui est ? J'entends déjà la réponse.

Ceux en qui mes paroles lèvent à cet instant le blé amer de l'irritation, ceux qui m'accuseront de solidarité avec les brutes, ceux qui sentent sous leurs pieds le socle du bien-fondé, sont des orgueilleux qui s'enivrent d'une supériorité paradoxale. Ils se sentent hauts de toute la souffrance physique, ou de l'incurable mal moral qui les mine. Insensés ! Illuminés au sens péjoratif ! Vous n'avez donc jamais jeté les yeux

sur les autres ? Sur ceux qui ne se
targuent pas de ce qu'ils sentent ? Vous
m'imaginez bonnement dispensé des
inconvénients qui sont les vôtres. Vous
imaginez je ne dis pas moi, mais quelqu'un qui en soit dispensé. Vous pensez
qu'il y a des gens qui n'ont pas besoin
de cela. Alors on se demande comment
vous vous considérez. Vous me rappelez
soudain les juifs qui croient à l'existence
des juifs, ce qui m'a toujours mis en
colère. Vous ne comprendrez pas sans
doute quand je vous dirai que la vie,
opium ou non, est intolérable. Et qu'il
n'y a rien à arranger. Tout, même votre
fumée se situe admirablement de telle
façon que chaque fait, qui en soi
seul serait après tout tolérable, dans ses
rapports avec tous les autres faits
devienne une aggravation de votre sort.
Vous n'en sortirez pas, cela est bête à
penser que l'on puisse sortir. Une
phrase entendue en passant dans la rue
est une bonne image de tout ce qui peut

arriver. Sans importance, ou curieuse,
ou simplement à couper au couteau,
elle prend cependant pour nous une
valeur d'accablement certaine. Vous me
direz que vous entendez conserver le
droit de vous soustraire à cet accablement. Je vous répète sur tous les tons
que je ne vous en connais pas le pouvoir, et qu'en ce cas la comédie que
vous jouez vous ravale au rang des plus
sales mômes. Ce n'est pas une raison
parce qu'il fait sombre pour manquer si
élémentairement de tenue.

Je sais que je perds comme jamais
mon temps à haranguer les individus de
cette catégorie. Si ce que je leur dis
était communicable le moins du monde,
ils l'auraient entendu d'eux-mêmes.
Mais je rage trop quand cette possibilité
qui n'est que particulière m'est présen-
tée comme un accroissement, pire,
comme... Fumez donc, je m'en fous,
mais vos gueules, qu'on s'emmerde en
paix. N'insultez pas de votre tranquil-

lité, de votre satisfaction maniaque au
marasme qui n'est pas remédiable, à
celui qui ne s'en tire pas d'une boulette,
à l'ombre qui n'a, qui ne désire pour
soleil, je le répète, aucune crétinisation,
prière, foot-ball, dross ou manille, à
celui qui sait ce qu'il endure et qui ne
peut plus distinguer entre l'illusion de
votre apaisement et le rire grossier qui
s'étale à propos de bottes sur le visage
épanoui des cons. Votre sommeil comme
le leur n'est pas empoisonné par l'idée
du réveil. Voilà qui me paraît étrange.
Quelle confiance. Il s'interrompt donc
pour vous, le tremblement, le voile se
dissipe. Ecoutez, si vous me le permet-
tez... Est-ce qu'il y a possibilité d'invo-
quer auprès de vous une image, rien
qu'une image, qui ne vous paraisse pas
superbement ridicule ? Je songe à
l'aurore d'un mensonge sur le visage
d'une femme aimée. Bien entendu je
parle de la vie. Je ne suis pas le premier
à comparer la vie à une femme, et pour

l'amour il est parfois si mal placé. Est-
ce que rien fait qu'elle n'ait pas menti ?
Que vous importe alors cette torpeur ?
Il faut continuer à ressentir jusqu'à
l'épuisement cette atroce douleur qui
fait comprendre le sens symbolique du
mot cœur. Relation du temps et du
cœur, cela continue à battre. Ce temps
ne passe pas. Un laps de vingt-quatre
heures est souvent une chose sauvage.
Et ça recommence, et ça recommence.
Ah ne maquillez pas les brêmes. Eux
font ça consciemment. Essayer de se
tromper ainsi, c'est comme si on faisait
la putain en pensant que c'est drôle.
Aussi ne peut-on que se fâcher contre
eux. Qu'est-ce que ça me fait ? Ce que
me fait la bêtise.

La bêtise, la monstrueuse bêtise.
Même cela trouve ses apologistes. Du
temps du mouvement Dada... mais à
quoi bon revenir sur ce qui m'a mis
dans des rages il y a sept huit ans,
quand aujourd'hui sans avoir à faire à

ceux pour qui un paradoxe est passé à
l'état de principe je me heurte chaque
jour à la bêtise, à ses thuriféraires
inconscients, quand je ne peux ouvrir
un livre, parler à un homme, sans être
couvert littéralement de cette poussière
épaisse et suffocante qui sort des cervelles et des paillassons. Un assez singulier tic de ce temps, celui de quelques
esprits spécialisés, qu'une longue habitude du vocabulaire philosophique engage à douter de la signification du
mot intelligence dans le langage courant. Le mélange ainsi de deux codes,
de deux patois, fait vivre bien des gens
qui se sentent subtils. Cependant il ne
saurait y avoir d'obscurité dans le sens
des mots : pris un à un. Par exemple
cette nouvelle que je lis dans *Le Petit
Journal* du Mercredi 10 août, édition de
minuit. « *Les Daily News expriment la
crainte que les démonstrations qui ont eu
lieu dans le monde entier pour protester
contre la sentence de mort n'aient desservi*

plutôt que servi la cause des condamnés
(Sacco et Vanzetti) », constitue bien une
sottise à partir des mots *que les démons-*
trations, etc., mais dans la proposition
principale *Les D. N. expriment la crainte*,
elle constitue une immonde hypocrisie.
C'est clair. Clair comme la honte que
tout être humain ressent à lire les journaux de ce même jour. Honte qui n'est
pas basée sur l'idée de justice, sur l'in-
nocence des condamnés, sur la peine de
mort. Tant de gens meurent n'est-ce
pas, mais tout de même. Tout de même
il devient impossible de penser à autre
chose. Rien n'est humainement assez
désintéressé, personne. A cette échelle,
l'indignation qui s'empare soudain de
moi quand je lis ces dépêches ignobles,
quel est donc, ne fût-ce qu'un instant,
le principe qui tient encore, qui me
préserve de ce frémissement ? J'ai dit
que ce n'est ni l'humanité ni quelque abstraction qui me donnent cette
honte. Mais une honte infinie, pourtant,

une honte insurmontable. On m'apprend doucereusement qu'à Biarritz la majorité des manifestants devant le consulat américain *étaient de nationalité étrangère*. Le maire de Bordeaux a recommandé à la population ouvrière de ne pas compromettre, par des actes de violence, sa JUSTE protestation en faveur de Sacco et de Vanzetti. Nom de Dieu. Et quel est donc le sentiment qui m'anime, j'ai beau me répéter qu'en pareil cas tous les arguments sont bons, que le seul résultat importe, que ceci ne mesure que l'infâmie de ceux à qui l'on s'adresse, et ainsi de suite, mais quel est donc le sentiment qui m'anime quand je lis cette lettre :

« *Interprète de toute la France, unanimement confondue pour intervenir en faveur de Sacco et Vanzetti, je demande au peuple américain, à son gouvernement, au gouverneur Fuller, de gracier et de libérer ces deux hommes.*

*Il me semble que, dans l'attente de mon
cher enfant, un peu de paix descendrait en
moi si mon intervention, très respectueuse,
assurait la vie sauve à Sacco et Vanzetti.*

*Monsieur Fuller, entendez, je vous en
conjure, la voix émue de la France entière.*

La maman du capitaine NUNGESSER ».

Quel est donc le monde où finalement
cette sorte d'argument à cours ? Je ne
suis pas très accessible à un certain
attendrissement, c'est vrai, et que sais-
je de ces deux hommes qui meurent
peut-être à l'instant ? Bien peu, juste ce
qui transparaît, dans le fatras de la
presse, d'une incroyable fermeté, sans
illusions. Ils savaient à quoi s'en tenir.
Ils n'ont rien renié, en rien faibli. Tant
pis, ceci n'a pas empêché cela... *dans
l'attente de mon cher enfant...* Si par miracle ce complément hypothétique allait
au cœur du juge... Ah non, tout de
même, quelle saloperie (des agents pro-
vocateurs, qu'ils disent, à Casablanca,

brûlent un drapeau américain... des
ordres ont été donnés immédiatement
de Paris pour que des sanctions sévères
soient prises contre le COUPABLE).
Tout ce qui peut se dire tranquillement.
Quelle santé. Un enfant qui cherche
avec le sable à endiguer la marée, voit
avec consternation ses remparts doucement contournés, et la vague étalant
son écume sur sa patience inutile,
comme de la confiture sur une tar-
tine. La masse énorme et croulante.
Spectacle décourageant. Pauvres pâtés
d'idées. Il y a des jours où tout vraiment apparaît fini. Est-ce alors qu'on
est fou, ou quand soudain retrouvant
une énergie invraisemblable on essaye
d'éclairer la parfaite nuit terrestre à
coups d'allumettes tisons ? La honte, la
honte, à perte de vue la honte.

Je ne me sens pas, et que celui qui
prétend l'être montre son front sans
rougeur que je le regarde avec curio-
sité, absolument étranger à cette hor-

rible aventure. Un lien mystérieux. Mais
réel. Un lien. Il semble que ce fantôme
d'impuissance qu'à tout horizon chaque
crépuscule ou chaque aurore lève, à cet
éclair d'orage ait pris soudain une consistance de vivant. Tout ce que je n'aurai pas été, la misérable histoire qui me
résume, les petits perfectionnements
qu'on pouvait y apporter, le plus beau
sort du monde : comique, comique.
J'aurai tenu à plusieurs choses d'une
façon insensée. J'aurai renoncé à toutes,
une après l'autre. Mes mémoires sans
mensonges, j'aime mieux n'y pas penser.
Et si tout cependant avait été au mieux,
la maigre différence. Il semble que ce
fantôme d'impuissance ait grandi chaque soir, chaque matin grandi. Mon
ombre. Les diverses explications du
sciomancien. Interrogez mon ombre,
interrogez toujours. J'imagine quelqu'un qui voudrait résumer ce dernier
paragraphe, et qui m'appelant Monsieur décrirait la sorte de malaise qui

m'accable. Il se servirait d'expressions
nanties d'un certain crédit dans le
monde, où la stéréotypie mentale dont
je parlais retrouverait pleinement son
compte. J'ai déjà subi cette affreuse
bonne volonté critique. Ce que je hais,
ce qu'avec une horreur qui s'exprime
j'ai toujours rejeté, le dégoût, les eaux
grasses d'une cuisine intellectuelle, le
retour de la vase... il vaudrait mieux
détourner les yeux de ce paysage pa-
lustre où des oiseaux symboles déchi-
rent une layette de velléités. Parlons.

Parlons d'une tentative d'explication,
assez récente, qui faillit avoir un succès
rassurant, n'était qu'elle partit d'assez
bas, je veux dire de M. Arland. Le mal du
siècle, un vieux concept replâtré, mais
pas tout à fait sans habileté, revint sous
cette plume faire sa cocotte dans la
Nvelle Rvue frinçaise. Il y a des bougres
qui préfèrent le cirque au café-concert,
moi je préfère aux revues les chiots. Et
à la *Nouelle Reüe fronçaise* très espé-

cialement. Là on esplique tous les six
mois ce qui s'est passé ailleurs. Tandis
qu'aux chiots ce qu'on fait disparaître a
rarement plus de deux jours d'existence.
Enfin à la *Novelle Revufre*... mais ce
n'est pas de cela qu'il s'agit. Il s'agit du
rêve des ménagères. Il est double, le
rêve en question. D'abord c'est d'avoir
des draps et des bavettes en quantité
suffisante pour ouvrir aux visiteurs ses
armoires en disant : Enfin vous voyez ?
Puis c'est d'avoir des armoires, pour
mettre les draps, les serviettes. Des
armoires de dimension. Mais l'idéal, ce
serait, pour faire le geste assez large, et
comme Ruy Blas relevant d'un coup la
portière du conseil de cabinet sur l'Es-
pagne agonisante, révéler d'un battant
le trésor de blancheur, une seule armoire
immense assez, qui contienne sans en
omettre toutes les catégories du linge,
du linge psychologique et moral qu'on
croit deviner dans les méninges de la
jeunesse. Le mal du siècle n'était au fait

qu'une armoire de comédie. On y rangea momentanément, avec une apparence d'équilibre, toutes les céphalalgies classifiées, mais sans prendre garde que l'armoire n'avait pas de fond. Aussi quand le rideau tombé, les machinistes emportèrent le meuble de parade, les piles de nid d'abeille, les paquets de tissu éponge, restèrent accroupis sur la scène où personne ne les regardait plus, dans l'attitude de l'adultère surpris qui se cache ou de la colique soudaine qui se plie. Pour comprendre ce phénomène, une méthode s'impose : considérer les mots accouplés, *un nouveau mal du siècle.* C'est mal dit puisqu'il faut entendre non un nouveau mal de ce siècle, mais un nouveau « Mal du Siècle ». Siècle n'est pas défini, et à l'arbitraire acceptable qui débite le temps par tranche, substitue par métonymie vers le quart d'un siècle conventionnel une conception séculaire qui ne respecte ni l'étymologie ni le calendrier.

Mal, mot du langage moral, suppose
son contraire, et son contraire accolable
au même complément déterminatif. Or
si l'on parlait du bien du siècle, ne sou-
lèverait-on pas une tempête de ricane-
ments ? Quelle est donc cette partialité
pour le Mal, qui le met à l'abri de l'hilarité ? Enfin comment imaginer *un
nouveau* mal du siècle ? Cela suppose
l'idée de siècle prise au sérieux. Cela
suppose un autre mal du même siècle,
qui serait ancien. Et alors il ne s'agit
pas de ce siècle mais du précédent.
D'ailleurs nous n'en avions pas douté.
Cette *nouveauté* se bornait à une décalcomanie. A la décalcomanie d'un concept déjà forcé il y a cent ans, puisqu'il
assimilait tout l'humain d'une pensée à
une petite fièvre passagère, à quelque
chose qu'on pourrait guérir. Tous les
constateurs de mal du siècle sont, on
peut m'en croire, des charlatans qui nous
tiennent en réserve un remède en fla-
con, qui nous sera produit pour de gros

sous quand nous aurons eu la bêtise de
nous effrayer de la saleté de notre langue. Un remède comme la religion, le
travail ou l'admiration des foules. C'est
une simple question de mise en scène,
non pas une idée.

Ne pas savoir le sens des mots, voilà
tont au plus ce qu'on pourrait appeler le
mal du siècle, en péchant soi-même par
l'emploi de cette formule approxima-
tive. Qu'on fasse ou non table rase d'un
certain nombre de principes, desquels
se réclamer est moderne, vue l'ineffi-
cience de ces principes, l'illusoire de s'y
référer, tout se passe comme si la table
d'elle-même s'était fait la barbe. On
peut alors regarder agir les gens, sans
tenir compte de leurs idées. Il est à
remarquer que rien dans leur conduite
ne permettrait de deviner l'effroyable
consommation de savon noir des cama-
rades rimbaldiens. Leur va-et-vient
n'est pas très différent de celui des four-
mis. Suivant qu'ils comprennent la for-

mule *il faut bien vivre*, une de celles
qu'on accepte avec le moins d'examen,
il faut bien-vivre, ou il faut-bien vivre,
nos gaillards se rangent dans la catégorie des fainéants ou dans celle des
ambitieux. Pour parler d'une façon purement poétique de ce double courant
de la raison pratique, il suffirait d'opposer l'esprit de bohême tel qu'il se perpétue aujourd'hui sans béret de velours et
le parti pris de beau mariage qui constitue une des mille nuances du moder-
nisme. Une certaine unité ressortirait
de cette opposition, et l'on ne consta-
terait pas sans trouble que les uns
comme les autres de ces Messieurs
croient avoir traversé leur petite saison
en enfer, et qu'ils savent maintenant
saluer la Beauté. Cette dernière phrase
ironiquement. Il faut le dire, cette morale particulière qui va de nos jours si
bon train qu'on ne désespère pas de la
voir devenir courante s'oppose assez
brillamment à la sainte loi du travail,

telle que la Deuxième République la
promulgua. Elle aboutit d'ailleurs au
même résultat double : la crétinisation
par l'oisiveté considérée comme sainteté, avec son cortège impuissance et
misère, ou l'hypocrisie des occupations
les plus dégradantes, dissimulées comme
des maladies honteuses, sous le bluff
lyrique des départs ou des mystifications.
Ah qu'il y a peu de différence entre tous
ces enfants de la bourgeoisie qui vivo-
tent dans la marge laissée d'une liberté
illusoire ! Nous en sommes toujours au
temps des *fugues*, mot très expressif, mé-
dico-psychologique, qui dit très bien
d'une façon vomitive le petit caractère
transitoire de vacances prises d'un air
autoritaire tant dans les concepts mo-
raux que dans les villégiatures écœu-
rantes, avec au bout du compte une
famille qui vous guette, où vous retom-
bez à l'heure dite, une famille qui vous
adore, et d'ailleurs que vous ne détestez
plus à force de fatigue et d'ossification,

9

une famille pour laquelle vous êtes faits
sur mesure, une famille qui est votre
destin. L'au-delà les inquiète. Ils rai-
sonnent. Ils se demandent tout de même
ce qui se passe après la mort. Vous feriez
mieux de considérer avec plus de con-
séquence… mais savez-vous même de
quoi je veux vous entretenir ? Comment des gens comme vous seraient-ils
attendus dans la tombe par autre chose
que la pourriture ? Cette idée ! Il y a
d'ailleurs dans l'idée de pourrir, si
j'achète par là, le pourrissement universel, un réconfort qui me fait tourner
vers la terre les yeux de l'allégresse,
illuminés par des éclairs hilares. Que les
cimetières joyeux ne me détournent pas
au milieu de mon discours : j'aurais
aimé m'attarder sur la pierre froide,
parmi les ci-gît humoristiques, mais
non. Pour l'instant je regarde les hommes sur pied. Déjà bons pères et bons
époux. Ceux qui pourtant un jour sen-
tirent passer quelque chose qui n'était

pas absolument l'aile de la stupidité.
Comment s'en tirent-ils à leurs propres
yeux, chaque matin pendant qu'ils se
font la barbe ? J'ai posé la question à
plusieurs sujets atteints de dégénéres-
cence. Ceux qui n'avaient point encore
perdu la vue, ceux qui ne faisaient que
sentir au fond de leurs orbites les premiers tressaillements de l'éteigneur de
réverbères, ont fait alors appel à la dernière ressource, à la dernière formule
qui permet à ces générations récentes
de donner le change à autrui beaucoup
moins qu'à soi-même. Comme toujours
le lieu commun qu'on évoque, aujour-
d'hui que ni les Evangiles ni l'Enéide
interrogée en ouvrant le livre au hasard
ne peuvent servir à rassurer les abrutis
sur leur conduite, comme toujours aujourd'hui le thème est tiré d'une autorité paradoxale, de l'un de ces livres qui,
je l'avoue, me sont précieux, et dont
j'écoute avec étonnement l'écho dans
ces défenses qu'on me présente de sorts

absurdes et vulgaires. *La réussite dans
l'épicerie* invoquée, pas même, sous
divers masques, par plusieurs esprits,
qui se sont plus de ci de là dans l'imagination d'une vie qui se terminerait par
une longue boutade, propos conster-
nant de l'humour. Seulement je ne vois
pas que ceux qui se sont servis de cette
image en aient été jamais les prison-
niers. Ils n'ont pas réussi dans l'épicerie. Vous y réussissez. Croyez-moi,
c'est une supériorité relative qui ne dépasse pas en fait le cadre analytique de
ces deux propositions écrites.

Ce n'est pas moi qui médirai de
l'humour. Qu'est-ce que l'humour ? Ce
sujet d'enquête me ramène au temps
où le premier numéro de la revue *Littérature* devait paraître sur papier prairie.
Le genre réponse-souvenir d'enfance
vous paraît un peu autruche, bon.
Je dirai ce que n'est pas l'humour.
L'humour n'est pas le poison des âmes
fortes, la colle forte des poissons, ni le

ricanement amer. L'humour n'est pas
une lanterne, n'est pas le partage du
plus patient, n'est pas une philosophie.
N'est pas embrassons-nous Folleville,
oui je viens dans son temple, le portrait
de l'artiste par Cézanne. N'est pas
l'obscénité systématique ou le ton Nini
patte en l'air. N'a pas le fantômatique
en horreur. Ne s'étonne pas pour un
pianiste. Ne connaît pas le nom de tous
les objets usuels. N'est pas une école
littéraire. Ni — comme on est tenté d'en
conclure — un état d'esprit. Ah justement moi qui croyais, mais alors
qu'est-ce ? Ce n'est pas la collophane de
l'à-propos, le coucou du tombe à point,
le bigophone de la belle lurette. Ni
maladie ni mer à boire. Ni une façon de
se rattraper, d'abord je vous demande
si on se rattrape, il y a des expressions
d'un stupide ! N'est pas clown, n'est
pas hirondelle, parler latin, dormir
debout. Ce mot qui nous vient d'Angleterre comme la sauce tomate et les bis-

cuits au gingembre, me direz-vous,
nous savions depuis longtemps qu'il ne
signifiait pas pot de chambre, armoire
à glace, chapeau pointu, mais si vous
croyez ainsi nous le faire entendre.
Monsieur, Madame, Militaire, et vous
mes chers petits enfants, ne vous agitez
pas sur vos chaises. Outre qu'armoire à
glace, c'est justement ce que tout le
monde trouve à dire quand on ne com-
prend pas, et qu'alors, qui sait, pour
vous, bouchés, armoire à glace justement, pourrait être la définition parfaite de l'humour. Pas pour moi, car je
comprends. Je ne dis pas ce que je
comprends. Je comprends d'une manière générale. Et puis armoire à glace
sonne sot. Sans parler des chapeaux
pointus qui semblent exercer la verve
universelle. Pourquoi les chapeaux ne
seraient-ils pas pointus ? Je décris par
l'ombre l'évidence, comme on écrit
dans les tramways sur les vitres embuées
de pluie. Encore un peu de courage,

quelques images négatives, et vous ver-
rez se dessiner les charmants contours
de la danseuse. N'est pas Nicodème,
n'est pas pissenlit, n'est pas l'esprit de
famille. N'est pas bébé, n'est pas
chonchette. Ni démêloir ni gentillet.
Ça c'est la jambe. Echangeons la scie
rotative contre la spatule à repousser
pour le relief du sein qui porte la croix
du mérite en guise d'étoile : je me souviens qu'en 1918 Jacques Vaché donnait pour exemple d'humour le réveille
matin. J'ai longtemps réfléchi sous ce
meuble sonore. Neuf ans m'ont suffi pour
trouver un autre exemple : l'expérience
des vases communiquants. C'est tout
de même très bien. Si parfaitement
choisi qu'il est inutile d'en dire davantage, non ? mais vous êtes un peu...
lents, un peu... culs. Je saisis : vous
voudriez les autres parties anatomiques
de l'humour. Eh bien prenez le doigt
qu'on lève, Msieu ? pour demander
l'autorisation de parler, vous aurez la

chevelure. Les yeux deux oublis pour
les glaces. Les oreilles des pavillons de
chasse. Le bras droit nommé symétrie
représente le palais de Justice, le
gauche est un bras de manchot du bras
droit. Pour les détails intimes il faut
obtenir l'autorisation de la maman. Le
sexe est tricolore comme l'écharpe du
maire. L'ensemble de cette construction rappelle aux plus vieux l'antique
cuiller de l'absinthe et le sucre fondant.
Aux plus jeunes… mais c'est assez s'occuper de la jeunesse. Ce n'est jamais
assez s'occuper de l'humour.

Il est ce qui manque aux potages, aux
poules, aux orchestres symphoniques.
Par contre il ne manque pas aux
paveurs, aux ascenseurs, aux chapeaux
claques. Si d'une part son absence se
fait remarquer dans les carpettes, d'autre
part il fait sensation dans l'usage du
timbre-poste. On l'a signalé dans la
batterie de cuisine, il a fait son apparition dans le mauvais goût. il tient ses

quartiers d'hiver dans la mode. Ses
mœurs d'apparence paisible pourraient
être l'origine des pancartes : chien
méchant. Où court-il ? A l'effet d'optique. Sa maison ? Le Petit Saint-
Thomas. Ses auteurs préférés ? Un certain Binet-Valmer. Sa faiblesse ? Les
crépuscules quand ils sont bien œuf sur
le plat. Il ne dédaigne pas la note
sérieuse. Il ressemble fort, somme toute,
à la mire sur le fusil. Maintenant
comme le dormeur qui reconstruit ses
mauvais rêves, revenez sur vos pas
intellectuels. Demandez-vous quelle est
l'attitude de l'humour en face de cette
dégelée de solutions que, bien que
nous répugnions en général aux comparaisons militaires, nous avons, j'ose le
dire, passées en revue. La réponse ne
se fait pas attendre. L'humour est d'avis
qu'où solution pas d'humour. Et j'ajou-
terai, car il est modeste, donc pas de
poésie. Ainsi les formules très employées
par les dénigreurs de poésie : *solution*

poétique ou *solution humoristique* qui
s'équivalent par l'emploi qu'on en fait,
sont des non-sens pas drôles, des gali-
pettes d'individus médiocres, des con-
tradictions dans les termes. Et les partisans de l'évasion, etc., qui ont repris à
leur actif d'une façon qu'ils croient
lyrique cette vulgaire connerie, pèchent
par un vocabulaire emprunté aux pro-
fesseurs de troisième. Commis voyageurs, une jeunesse de commis voyageurs en faux poèmes, avec une série
d'à peu près mathématiques à la clé, le
gâtisme de table d'hôte, et au menton
la serviette nouée d'un système inchan-
geable, maculée par les sauces de la
répétition. Que l'humour est la condition négative de la poésie, ce qui prête à
équivoque mais signifie que pour qu'il
y ait poésie il faut que l'humour fasse
d'abord abstraction de l'anti-poésie, et
soudain une bobine de fil prend la vie
de l'humour, du coup si vous êtes poète
vous en faites une jolie femme ou le

murmure des flots dans le corail chan-
teur, que l'humour est une condition
de la poésie, voilà ce que je dis sous
une forme détournée. Quel humour
chez tous les grands poètes ! Sans nom-
mer Lautréamont.

L'image est d'ailleurs le véhicule de
l'humour, et par réciprocité proportion-
nelle ce qui fait la force de l'image, c'est
l'humour. Comparez deux images prises
au hasard, et vous en serez poussière.
Ce qui explique aussi leur vieillisse-
ment, car l'humour n'est délégué à
l'image que pour un petit temps, et
dès qu'il a renfourché sa motocyclette,
le mur commence à se dégrader. Voilà
le fondement de l'idée de nouveauté
poétique, de laquelle on a mené récemment, et à juste titre, grand bruit. Les voisins se sont plaints : ce sont des emmer-
deurs, cela ne nous fera pas retourner
aux métaphores usées, chausser les
pantoufles de l'habitude, nous voulons
entendre parler un langage de catapulte,

à crouler les plafonds, à décorner les bœufs. La poésie est par essence orageuse, et chaque image doit produire un cataclysme. Il faut que ça brûle ! Ouate thermogène du poème. La moutarde au nez. Ne coupez jamais d'eau votre pétrole, malheureux. Que ça flambe ! Dans le genre buisson ardent on n'a guère fait plus réussi que le *Sonnet des Voyelles*. J'ai aussi une grande estime pour *La Tatane* d'Alfred Jarry. *Les Chimères* (...*il dort, ce vieux pervers!*). Le poème des *Contemplations* qui dit : *Alors brigand je vins*. *Athée* par Germain Nouveau. *Le vin des amants*, si singulière que cette énumération paraisse aux mouches. Et d'autres feux follets dont vous auriez très peur.

Si la brioche de nos contemporains, leur nourriture de mots d'ordre, s'effrite menu sous les doigts de l'humour, lesdits contemporains sentent confusément que le vague idéologique est le père des miettes. Ils éprouvent alors à l'estomac

la sensation de famine qui jette les petits
garçons dans les bras plus ou moins bien
intentionnés des philosophes. Ils tournent leurs regards comme un remon-
toir, sur la plateforme de l'époque. Ils
cherchent, papillons en quête d'ento-
mologistes, le filet vert de la nouveauté
méthodologique, et vice versa. Car les
anciens systèmes ont pour eux la nos-
talgie sévère des leçons qu'on a oublié
d'apprendre, et il leur faut des inven-
tions qui les en justifient en détruisant
tout. Justement ces années dernières,
dans leur flux d'insanités et d'événements, ont apporté deux énormes statues de spécialistes, ce qui est l'espèce de
statue le plus propice à l'inscription du
nom des garnements qui veulent à tout
prix lier leur sort à celui de quelque
personne considérable. La phrase est
un peu lourde, mais respecte l'ordre
des phénomènes. D'abord si les |consé-
quences tirées de la pensée d'un spécia-
liste dans un domaine qui n'est pas le

sien se trouvent en contradiction fla-
grante avec des généralisations qu'il y
entreprendra, on lui lâche les chiens,
ne jugez pas plus haut que le soulier
orthopédique, vous êtes incapable de
comprendre, vous n'avez que de pauvres
idées sur l'existence, etc. Ensuite le
contrôle de ces conséquences n'est pas
facile, personne ne sait de quoi il
retourne, et le malin qui puise chez le
cordonnier la confirmation de ses cal-
culs pour l'établissement des verres de
lunettes, alliant au flair de la mode et à
l'astuce du camouflage l'ignorance bénie
de la carpe, n'a pas de peine à se duper
avant les autres et croit dur comme fer
à la solidité de la ficelle et de la poudre
aux yeux. Je jette dans la balance ces
deux épées, Freud, Einstein. Immédiatement le quincaillier hurle. Fais le
beau. Je ne suis pas si fou que de
m'attaquer au psychiâtre ou au mathématicien. Je laisse ce sale travail aux
Facultés françaises qui n'aiment pas

que la pensée vienne d'outre-Rhin, ce
sont leurs propres mots. Je parle avec
quelque liberté de ce qui est grand
parce que c'est grand. S'il me plaît d'être
familier avec Freud, je sais bien pourquoi. J'entends que ce qui va suivre
n'entraîne pas de réflexions de M. Gil
Robin. En voilà un qu'on n'attendait
pas. Que voulez-vous ? il finissait la
phrase. Comme dans une immortelle
envolée, dans ce pur joyau qu'est la
description que j'ai DONNÉE du passage
de l'Opéra, usant de cette faculté
lyrique qui autorise l'homme inspiré à
s'asseoir dans le macaroni fumant, je
nommai soudain Freud en le compa-
rant à ce que j'avais alors sous la main,
qui se trouvait être un petit chien, mais
non pas sans l'ombre de raison, car la
Nature m'a favorisé de telle façon que
même sur le sacré trépied de la Pythie
je garde les couteaux de la proportion,
comme je le nommais donc caniche,
mais parce que dans ma perspective il

apparaissait à l'ombre de la Libido, qui
est de taille gigantesque à côté de n'importe quel spécimen humain, M. Gil
Robin entre la poire et le fromage
m'a dit que je voulais plaisanter. Mais
pas du tout, M. Gil, mais pas du
tout, M. Bin. J'ai jamais été plus grave.
C'est comme si on prétendait que
MM. les conducteurs d'autobus et moi
quand nous disons : Va te faire coller
chez les grecs, nous manquons de res-
pect à notre interlocuteur. Lequel,
puisqu'on ne le connaît pas, doit être
Madame Curie. M. Gil Robin vous per-
mettez, je vous fais un personnage de
cette comédie.

Donc Freud fardé outrageusement,
dans une toilette suggestive arpentant le
bitume de la surprise fait la retape des
écrivains sur le retour. Toutes les consi-
dérations d'usage en pareil cas se font
jour dans l'esprit de ces clients, leur
honorabilité, la chaude pisse, le porte-
monnaie et puis tant pis, ils se décident,

car, permettez-moi le risque de la comparaison, mais il faut aller au bout de ses pensées, ils viennent de sentir sous leurs doigts un porte-plume frais et dispos. Ils montent avec la donzelle dans le premier meublé de leur imagination, ils se souviennent qu'ils furent prestidigitateurs dans leur bon temps, et les voilà qui sortent des canards de tous les chapeaux, de braves canards qu'ils appellent aigles, comme ils font habituellement de leurs menthes vertes qu'ils prennent pour la mer, et désignent de ces mots lyriques : la grande bleue. Il faut dire que leurs recettes à ces cuisinières fatiguées par les sixièmes étages de tant de romans après avoir lassé le palais public avaient fini par leur flanquer à elles-mêmes des aigreurs d'estomac, des pituites, des accidents nerveux. Toujours cette panade impossible à poivrer avec sa sauce trop longue, son jus d'eau sale, ses impassables pelures de problématiques légumes, ses déchets de

vieille carne, sa psychologie de tinette !
On veut bien boire de la morve, mais
pas toujours la même. C'est alors que
l'idée de moucher Freud et de s'abreu-
ver à son coryza vint simultanément à
plusieurs dondons de la librairie qui
attendirent de cette opération magique
la guérison de leurs varices périanales.
M. Paul Bourget toujours dans un certain rapport avec son époque préféra
s'en tenir aux déjections de M. le professeur français Janet, que le gâtisme le
conserve dans sa petite voiture ! mais
revenons à nos moutons pansexualistes.
Il leur parut que pour revirginiser la
mariée il suffisait de la fournir d'actes-
symptômes, de tendances œdipiennes,
de complexes variés. *Paul et Virginie*
apparaîtrait de nos jours comme une
nouveauté surprenante, pourvu que
Virginie fît quelques réflexions sur les
bananes et que Paul distraitement s'arra-
cha de temps en temps des molaires. On
a vu des unanimistes qui avaient trop

usé de Gustave Le Bon, cette drogue, priser de la psychanalyse comme des petits fous. Le théâtre de M. Lenormand sortit tout armé des limbes. Le cinéma se mit de la partie, et le mot sexualité entra dans le vocabulaire des écrivains américains. Optimisme des foules : il paraît qu'elles en redemandent, puisque j'ai vu qu'on traduisait des romanciers freudiens du tchécoslovaque ! Le jamais vu qui fut jadis un vivant caoutchouc des forêts interdites sans que nous assistions au documentaire de sa transformation est devenu le plat à barbe du déjà vu, la rouge assiette où mousse la redite neigeuse. Les auteurs un peu honteux de ne pas l'avoir fait dix, quinze ans plus tôt, se pressent, pensant qu'il y a encore du monde pas au courant, et font les importants avec le rudiment retenu de la méthode freudienne. Ainsi leur ambition est de briller aux yeux des ignorants, pendant le court délai qui les sépare encore de la vulgarisation définitive. Ah

les pauvres faux sous neufs. Cette vague
de Freud a son reflet dans la critique,
je m'en voudrais de l'oublier. Avec le
plus grand sérieux il se trouve des particuliers qui pour faire valoir leur roman-
cier de chevet prétendent que le digne
pisseur de copie bien que n'ayant pu
lire Freud a eu, comment dirai-je, le
pressentiment de la sychanalisse, et tel
est le génie de Prou, comme on pro-
nonce à droite. La plus petite notation
psychologique tourne sous leurs doigts
au complexe dénoncé, que c'est une
rigolade. D'ailleurs Freud passe dans le
bordel des Lettres pour le Voltaire de la
psychologie, ce Calas. En un mot votre
Freud vous voyez Monsieur le Robin
Gil, c'est quelque chose comme James
Joyce, d'une part, et la statue de
l'enfant qui se tire une épine du pied,
ah ah mais voilà qui est intéressant, le
pied serait étiqueté le roman contemporain, l'épine démoralisation, et les pen-
sionnats défilants seraient appelés à médi-

ter sur la signification profondément
freudienne, c'est-à-dire éminemment
française dans le sens de not'meil-
leure tradition analytique (Montaigne
allégoriquement rencontre dans un
phin paysage cette manière d'Esculape,
Dupré) reprise par un bon compi-
lateur viennois, de ce chef-d'œuvre
de la sculpture sur cervelle, de l'autre.
Il ne manque donc plus au Psychiâtre de
l'Autriche que la consécration papale,
avec conciliation thomiste de la psycho-
analyse et du culte, pour qu'il soit cuit,
cuit comme un petit oiseau. Et maintenant, j'ai grand faim, qu'on m'apporte,
après ces mauviettes, la guimauve de
l'abrutissement contemporain, la pâte à
choux des tombées sur le cul, la sacchar-
nie des vous m'en direz tant, les crêpes
des coins bouchés, les escargots farcis
de la perplexité admirative, les concom-
bres de la migraine qui se complaît, la
pastèque des pataquès, les mirotons des
neurasthénies de bon ton, les garbures

pour sots désœuvrés, les petit pois pour
têtes de linottes, les courgettes pour
dames courageuses, les mayonnaises
tournées pour anxieux professionnels!
Qu'on m'apporte la mélasse. Voici le
Mauvais Horloger, le Calendrier Malhon-
nête, le Généalogiste Bègue, le Méca-
nicien des Trajets inconciliables, le
Mahomet mathématicien, Einstein au-
réolé de coucous et de roulettes! Il jette
le désarroi dans les familles avec de
petits problèmes qui laissent des doutes
sur l'âge du Papa, Maman se met à
courir pour rester jeune, les Bébés ne
tètent plus à l'heure dite, enfin c'est
l'anarchie. Einstein serait-il l'Antéchrist,
ce qui simplifierait sa future canonifica-
tion dialectique, et surtout quelle est
cette frénésie qu'il sème, permettez-moi
d'y réfléchir.

Imaginez un menuisier qui pour
exprimer les secrets d'établi se servirait
d'une façon continue de l'argot propre
aux dentellières, un moulin qui à tour-

ner sa roue préférerait pour être compris
des moutons bêler. Situation j'en con-
viens, éminemment poétique, mais ne
pas s'y tromper : il n'y a pas de situation
poétique, au sens une situation d'avenir. Ne pas confondre poésie et routine,
poésie et gâtisme, ne pas confondre
image et comparaison. L'usage de
termes concrets entre lesquels s'orga-
nise à la précieuse lueur d'une sup-
position absurde une aventure paradoxale, fut initialement nécessaire à
la propagation de notions physico-
mathématiques nouvelles, qui devaient
frapper l'attention. Puis tombant de la
bouche des spécialistes qui ne formu-
laient pas les restrictions pour eux natu-
relles que ces simples métaphores
comportaient, dans les oreilles d'âne
disposées à tous les échos du paysage,
ces nageurs traversant la voie lactée,
ces voyageurs sur boulets de canon, ces
bateaux longs comme un jour sans pain,
de simples expressions qu'ils étaient de

faits difficilement objectivables devinrent les faits eux-mêmes, l'essentiel de la découverte, à tel point que tout ces chiffres incompréhensibles ne semblèrent plus avoir été griffonnés que pour expliquer comment les montres ne marquaient pas la même heure, alors que contrairement on n'avait remonté ces montres que pour commenter des équations. Aucune différence ici entre le sort des images einsteiniennes et celui des images rimbaldiennes. Même ahurissement public, même crétinisation, même assimilation grotesque, même prurigo. L'écrivain étranger, Wyndham Lewis [1], dont je ne partage pas les vues historiques, dont je ne comprends guère l'admiration pour Julien Benda, a parfaitement décrit les ravages chez les litté-

---

[1]. I must add, for the english-speaking world (what a disgusting idea, but see *The Enemy* N° 2) that the ground of Mr. Lewis's philosophy is more or less the british slogan : « *Buy Empire goods* ». No wonder that surrealism makes him hangry.

rateurs anglo-américains d'une certaine hystérie qui se noue autour d'un trouble chimérique apporté dans l'idée de temps par une façon d'entendre Einstein, qui n'est pas répandue que chez les fils de Guy Fawkes et de Lincoln. Ce qui est vrai de Mademoiselle Stein ne l'est pas moins de Monsieur Valéry. Je me réjouis assez de ce ménage, où la dame est un peu bébête, et le daron bien trop malin. Mais où tout se gâte c'est à l'étage inférieur, quand le langage du même Valéry sert à un certain M. Fabre pour mettre Einstein à ma portée. L'image valéryenne devient le véhicule de la comparaison relativiste. L'étude soignée du livre de M. Fabre sur Einstein, d'un point de vue absolument objectif, en apprendrait long sur le mauvais emploi des images, et je conseille vivement ce sujet de thèse à tout jeune homme qui voudra gagner mon estime. Je répète que ce genre d'ouvrages critiques est trop négligé et que le besoin s'en fait sentir. De même il serait intéressant de lire une plaquette où soit traité le parallèle entre les suppositions balistiques des exposés fleuris de la théorie de la relativité et les souhaits habituels aux poètes classiques : Ah si j'étais petit oiseau. La place m'est ici mesurée, je me contenterai d'ajouter pour les partisans de M. Valéry, qu'il ne m'échappe aucunement que le vocabulaire abstrait de cet auteur cache surtout une escroquerie préméditée qui a réussi, escroquerie qui n'est pas sans un certain charme. Je me souviens d'avoir vu dans mon enfance des cartes postales représentant la fameuse Thérèse Humbert ouvrant un énorme Fichet qui contenait un lapin. Je me souviens d'avoir eu quelque sympathie pour cette personne corpulente, qui meublait mieux son corsage rayé que son coffre-fort. Elle ressemblait à Mademoiselle Stein. Je me demande ce que je penserais aujourd'hui de Thérèse, assise dans le fauteuil d'Anatole France ?

Le fait est que quand je me rappelle combien certains artifices de langage, qui donnaient l'illusion d'un développement possible de la pensée, m'en imposaient jadis, lisant *La Soirée avec M. Teste*, et que je retrouve ces procédés sous l'affreux nom de *Rhumbs,* repris, et par là-même d'une façon rétroactive dégradés jusqu'à l'origine, je ne suis pas très content, je me sens floué assez bassement, pour un peu de broderie sur un habit ridicule, et je ne parle pas de l'épée. *Je me voyais me voir* cette formule qui résume assez le père d'Ed. Teste et de sa sœur la petite Parque, ce jeu de miroirs qu'il cache un peu partout dans ses phrases, pour produire des fantômes de profondeur, ce n'est pas avec un sérieux complet que je me permettrai de la comparer à l'expérience de Michelson-Morlay, non pas strictement, faisant coller les éléments de la phrase à ceux du dispositif adopté dans cette expérience, mais pour l'importance

équivalente de cette expérience à l'origine de la théorie de la relativité, et de
cette proposition à l'origine d'un certain
truc relativiste valéryen, qui a beaucoup
donné. Par ailleurs l'analyse de cette
phrase nous rendrait parfaitement
compte de ce truc, du sophisme intro-
duit, du vice radical d'une pensée qui
règle sur de pareils préceptes des
méthodes dont on aperçoit aujourd'hui la
fin. Je me voyais me voir : *je*, pronom
personnel, de la première personne du
singulier, sujet de voyais, désigne un
observateur dont l'action s'exerce sur le
premier *me*, qui est entendu ici de deux
façons simultanées entre lesquelles il
faudrait opter pour être honnête : car si
ce *me* est le complément direct de
voyais, comme nous le disions, et
comme la phrase le laisse supposer
intentionnellement, elle devrait s'arrêter-
là *je me voyais*, quitte à perdre tout mystère, ou se poursuivre par une tauto-
logie, *je me voyais, me voyant*, où l'appo-

sition *me voyant* ne fait que répéter ce
qui est déjà dit, *me* dans une même
phrase ne pouvant représenter qu'une
seule personne et ne pouvant ainsi
passer comme une muscade du sens pas-
sif au sens actif. Ou encore l'auteur em-
ploie *me voyais* comme verbe réfléchi, et
alors c'est un tout dépourvu de personna-
lisation, qui traduit dans une autre langue pourrait fort bien se passer de son
complément illusoire et il est impossible
que dans la seconde partie de la phrase
le verbe voir soit pris autrement que
comme verbe réfléchi, de telle sorte
qu'il ne reste à perte de vue que
M. Valéry devant un seul miroir, ne
faisant aucune découverte, n'ayant de
lui-même qu'un aperçu banal et répétant : Je me voyais me voir, comme il
eût dit je me voyais, me voyais..., ce
qui n'a qu'un sens, comme certaines
rues. Très voisin de je m'emmerdais,
m'emmerdais, m'emmerdais. On aurait
pu également reprocher à la phrase en

question ce qu'un philosophe que je n'aime guère, et auquel à ma grande stupéfaction une revue a longuement assimilé un jour M. Valéry, ce que M. Bergson reprend dans l'interprétation du voyage en boulet, qui suppose un dédoublement qui n'a pas lieu, qui escamote une difficulté, qui compare ce qui n'est pas comparable. Je vous renvoie à l'ouvrage du collègue de M. Valéry, qui est par moments très lisible. Au fait à la même occasion dont je parlais, ne mettait-on pas sur le même pavoi que Valéry et Bergson M. le Professeur Langevin, réunissant ainsi sur une sorte de plan héroïque la philosophie, la physique et la pataphysique ?

Les fuchsias ! horribles fleurs mariées au barbaresque des Rivieras affligeantes. L'air des clochettes dans Lakmé. Une espèce de petits chiens. Les talons endiamantés jamais vus qu'aux devantures de la rue de Rivoli. Bronzes de Barbedienne-Kimonos. Ces poupées au cul

des autos. Mots croisés qui donneront à
lire des lamés d'horreur, des chiffons de
nausées, des tulles de dégueulis. Toiles
d'araignée dont on rêve après un dîner
très lourd. Je me représente ainsi tous
les manquements à une conception cohérente du style. On reconnaîtra que les
erreurs, les abus, les bizarreries qui
font depuis cinquante pages l'objet de
mon attention, tiennent à l'absence
contemporaine de toute espèce de
conception cohérente du style. Ils ont
pour origine des formules avalées à la
hâte, des phrases lues en plein délire,
des paroles entendues par le bigorneau
de l'ignorance, des propositions sorties
de leur cadre par des mains de beurre,
des idées géniales à leur place, qui tournent hors de leur contexte au genre
calino déchaîné. Si les mots en étaient
compris, situés dans leurs rapports avec
l'auteur, si le sens réel de ces axiomes
imagés et la portée effective de ces
images axiomatiques étaient justement

appréciés par des esprits capables de
passer alternativement du particulier
au général et du général au personnel
sans à ce charleston spécial perdre perpétuellement l'équilibre, nous n'aurions
pas à déplorer le burlesque, le bête, le
déroutant usage quotidien des seules
pensées respectables dans le monde
moderne. Et ce paragraphe qui s'achève
ici donne la clef de tout ce qui précède,
l'unité reposante de ce qui paraissait
joint de bric et de broc, et démontre
une fois de plus que nous ne sommes
pas la sorte de sauteur qu'on prétend
dans les milieux pincés où l'on feint de
nous préférer de petits crabes comme
MM. Fabre-Luce, Green, Bernanos,
Maurois, Lacretelle, Girard, Quint,
Pagination, Martin-Chauffier, Vaudoyer,
Marsan, Vendangette, Mauriac, Mucus,
Galzy, Rivollet, Dorsenne, Thérive,
Chack, Larrouy, Anet, Prévost, Beucler,
Pourrat, Truxale, Moins-Perçu, Pigno-
ratif, In-Trente-Deux, Sucrin, Ricimer,

Warnod, Viollis, Oulmont, Bourdet,
Chamson, Picard, Charasson, Sichel,
Harlaire, Vademanque, Massis, Brous-
son, Alain, Braga, Pérochon, Laqueton,
Tharaud, Bost, de Bondy, Duhourcaux,
Genevoix.

II

Je n'ai pourtant jamais trouvé
ce que j'écris dans ce que j'aime.

PAUL ELUARD.

Le dimanche 4 septembre 1927 on pouvait lire dans l'*Intransigeant*, troisième page :

IL VOLAIT DANS LES ÉGLISES

Melun, 3 septembre (de notre corr. part.). — La gendarmerie vient d'arrêter le nommé Louis Aragon, sans profession, demeurant à Chailly-en-Bière, au moment où il venait de voler des vases dans l'église de Moisenay.

C'est lui qui déjà il y a quinze jours avait volé des objets sacrés dans l'église de Bombon, et, en janvier dernier, dans celle de Mormant.

Il nie les vols qui lui sont reprochés, se contentant de déclarer qu'il n'est entré dans ces églises que pour y faire des prières et parce qu'il s'intéressait aux monuments et objets artistiques. — P.

Et dans *Paris-Soir*, en même place :

ᴼN ARRÊTE UN PILLEUR D'ÉGLISES

Tout dernièrement, l'église de Bombon (Seine-et-Marne) avait été cambriolée. Deux vases et une jardinière en porcelaine ancienne avaient disparu.

L'auteur du vol, un nommé Louis Aragon, demeurant à Chailly-en-Bière, vient d'être arrêté et écroué à la prison de Melun.

Il est également, croit-on, l'auteur des vols commis dans les églises de Mormant et de Moisenay.

Bien que fort courts, ces deux articles, que je n'avais pas sollicités, et qui parurent quand rien ne semblait légitimer *de ma part* l'attention soudaine, comme d'un œil de veau dans la nuit, des parisiennes feuilles crépusculaires, sont de fort loin ce qu'on a écrit de plus éclair au chocolat, et vitriol en même temps,

enfin de mieux torché, sur ces étince-
lantes merveilles qui se sont détachées
de moi par scissiparité. Ce qui me plaît
ici, c'est l'absence de berlingot, l'ano-
nyme du ton, très important ça, et le
composé qui s'impose ; à tel point que
les deux critiques ont également partagé
leurs essais en trois paragraphes, comme
le voulaient mon professeur de troisième et la raison, le commencement, le
milieu et la fin. Cependant quelle que
soit ma partialité pour la belle ouvrage,
je ne puis éviter de souligner une fâcheuse contradiction entre ces rédactions, semble-t-il, non concertées. Pour
l'*Intransigeant* j'ai été pris à Moisenay,
sur le fait. Pour *Paris-Soir*, c'est mon
exploit de Bombon qui me vaut l'incar-
cération, et quelque doute plane alba-
tros de probabilité sur mes rapts autant
de Moisenay que de Mormant. Qui
croire ? Voilà donc comment sont faits
les journaux. Inexacts jusque dans les
puces de rat. Je pencherais à donner la

préférence à la version de l'écœurant
crachoir de M. Bailby. On voit que les
passions politiques ne m'égarent pas !
Outre qu'elle se termine par un portrait
psychologique où je reconnais mon humour habituel et l'une de ses expressions favorites (*les monuments et objets
artistiques*), son auteur, un certain P., le
corr. part. de la première ligne, m'ac-
cuse plus franchement, avec une déci-
sion qui me plaît, et note d'une façon
amère, ma qualité de *sans profession*.
Enfin je dois prévenir le rédacteur de
Paris-Soir que je suis *aussi* l'auteur de
plusieurs livres capitaux non seulement
à l'échelle des jardinières en porcelaine
ancienne, mais à celle de l'histoire future
de l'esprit humain. A cet introït succède
une description de mon propre style,
objective, qui me semble seule capable
d'éclairer ma pensée générale sur tous
les styles, et de faire par là saisir l'anse
de ce livre, son pourquoi.

Mon style est comme la nature ou

plutôt réciproquement. Suivez-moi bien
par ces ruissellements et ces roches.
L'immense coupe-papier des routes ne
connaît pas suffisamment la campagne.
Il te faut un guide, à travers l'aisselle
des forêts. Là te guette un loup-garou
de mousse, ici tu serais mangé par un
champignon Minotaure. D'étranges
lueurs errent un peu partout dans mes
plaines. Le bizarre Septembre promène
tout à coup sur les champs des yeux
loucheurs qui interfèrent et s'enté-
nèbrent. On lit aux plis des collines un
destin brouté par les vaches. L'ombre
des nuées dessine sur la terre de grands
fantômes percés d'or. Des puits d'azur
s'ouvrent sur des crétineries de tuiles.
Des seins fauves palpitent au milieu des
blondeurs fauchées, sous l'aile bruyante
des pies, semblables au temps qu'il fait.
L'horizon chevelu se coiffe torrentielle-
ment avec de petits peignes de pluie qui
courent, courent, courent. Le guano
solaire tombe au hasard sur les ombres

chinoises de machines agricoles. Des
buissons un instant aux nitrates célestes
lissent leurs plumes de perruches, puis
ce n'est plus qu'une flottaison des profondeurs marines, un atoll délavé qui
fuit dans du goudron. O mouettes
moustaches légères, détachez-vous de la
lèvre des falaises, ces vieux militaires
gâteux, laissez-les ânonnant le journal
jaunâtre des vagues et mettez au-dessus
de mes côteaux zébrés vos ⁵⁄₇ accents
circonflexes en voyage. Moi, je me
tourne vers la mer. Cette fille à soldats
tapageuse et bougonne change perpétuellement ses toilettes défraîchies pour
des robes de rencontre où les coulées
burlesques des rafales, les taches, les
chiures, les reprises, les pièces, les coups
de fer maladroits, les fanantes habitudes
nocturnes de la garnison voudraient
passer pour une débauche de couleurs,
une splendeur de pigeon, une insolence
orientale. Il y a dans la chienlit un goût
immodéré des effets de pastel. Flaques

fatiguées, mauves. Bleus bêtes. Crachats
roses. Toute une Savonnerie morne,
comme si tous les salons de la province
s'étaient vidés avec leurs guéridons
écaillés, leurs fauteuils désanglés, leurs
clopinantes chaises, pêle-mêle dans
l'énorme égoût ballottant où les familles
viennent tremper aux premières cha-
leurs leurs corps groupés par rang de
taille, sautant hectiquement à chaque
salivée qui roule des végétaux infects, et
une sorte de crottin filandreux. Les
tempêtes ? Petit truc de perspective, les
bateaux étant un peu plus couchés,
quelques hommes tombent dans la
vilaine eau verte et grise, et si parfois
une espèce de grandeur couronne
comme une guirlande de feu le paysage
maritime, c'est dans le ciel que cet
archevêque sacre le Clovis des flots,
c'est le ciel qui marie la pourpre et les
chromes dans une sarabande de sala-
mandres, le ciel seul qui fait tournoyer
les géants Frégolis des nuages, qui

pissent çà et là dédaigneusement sur la
mer. Qu'est-ce pour le vent aux doigts
de sabre, pour le vent diamantaire, le
vent qui regarde passer les balles et sait
entre ses dents tordre la fonte et le
maille-chort ? Qu'est-ce donc pour le
vent que le beurre des vagues, un êtron
pour son pied, du feutre pour son poing.
Il lui faut les craquantes carcasses des
montagnes, les pics qui le saluent à
coups de pierre, les mélèzes qui brisent
pour lui la hampe d'un drapeau toujours
vert, les croulantes floraisons des
neiges, les lustres fendus des glaciers, le
précipice où sa voix s'enfle et répond
au gramophone du tonnerre. L'orage a
pitié de la mer, il me dit : « Laisse-la,
c'est une grande molle, nous sommes
faits pour de plus fières putains. Va, ton
style n'est pas semblable à la mer. Il
faut le comparer à toute l'immense
campagne, des maisons de granit où
j'aime à me perdre l'hiver, cherchant
par leurs salles obscures les traces des

ours anciens, le souvenir des sabbats, des luttes de mammouths et des mythes runiques, jusqu'aux jardins démesurés où l'homme a mis le blé, mais où moi j'ai mis les bleuets, jusqu'aux murmurants cressons où vient boire la rousseur, ce n'est plus l'éclair de l'écureuil. Charmant saltigrade ! il revient empanacher tes périodes, il cueille une noisette et le fourré le reprend. Fourré dont la touffe est si drue que le trocart s'y brise, cependant des animaux mystérieux y circulent, et des fleurs élèvent au-dessus de leurs fourmillements des cous interrogateurs d'autruches, des têtes ébouriffées de réveil. Les fougères ! ici c'est chez toi. Partout, quand surgissent ces verdures inquiétantes, qui révèlent par leur plénitude un sous-sol infidèle et de dormantes eaux, ton royaume s'étend, où le lecteur se perd. Phrases sphaignes sphinges. Osiers, marchanties, grenouillettes, plantes des lieux incertains, dont le pied soudain révèle une mare et sou-

dain la terre marengo se dérobe, sous
les basses branches d'un bois hanté
glissent les lutins des nappes profondes.
La métallepse est de règle où la sauge
fleurit.

Mon cher ouragan, les champs tor-
rides comme les marais m'appartiennent. La mélampyre croît dans mes
seigles, et ma blaude est le ciel bleu des
ruminants à l'ongle sec. Je n'écobuerai
pas mes paroles. Mes nielles, mes parasites sont aussi précieux que les céréales
commentées. Je continuerai à saigner
des coquelicots à foison. La couleur seule
fait que je soufre mes vignes. Il y a dans
mon style assez de place pour l'ergot et
le phylloxera.

— C'est le triste horizon des séden-
taires qui leur fait craindre les digressions. Le moindre écart semble une
perte, tout paraît au-delà des forces du
coureur. Je sais bien, moi le vent, que
ces échappées monstrueuses sont de très
petits corridors.

— Les digressions, tiens, tu me fâches. Employer un mot si dénué de sens même pour le critiquer ! Il n'y a pas de digressions, comme il n'y a pas d'herbes folles. Choisis, si tu l'oses, entre l'avoine et le liseron.

— Quel regain formidable ! Si j'en crois mes yeux d'air tu n'as pas ton pareil pour le trèfle. Le rouge et le blanc.

— Je suis plus encore le maître du sainfoin et de la luzerne. Mais tu ne dis rien de mes salades ?

— Splendides.

— Trop aimable. Dans des étangs j'ai des poissons céruléens, regarde, quand je les sors, leurs ouïes crépitantes. Les agenouillements du soleil sur l'eau douce. Les mille merveilles des rivières. Le mirage des bâtons brisés.

— N'oublie pas les splendeurs du sol, où rien d'entier n'accapare l'œil du peintre. Les trésors de débris, les fênes, les fétus, les feuilles roulées, les tessons

de verre, les merdes, les insectes, la
poussière surtout, la poussière. Copeaux
précieux.

— Je suis le bijoutier des matières
déchues, le sertisseur des déchets sans
emploi, je vais glanant derrière les
ravages les cheveux coupés du prin-
temps. Aux bluteurs je demande la
paille, aux cribles la boue dédorée. Le
cruel cilice des chataîgnes, la paupière
mince du physalis, sont les modes courants de mon langage. J'ai ramassé les
brindilles, les duvets perdus, les graines.
J'ai fait récolte des moisissures. Les
lichens m'appellent par mon nom.
Elytres rompues, vieilles carapaces de
carabes, petites plumes, morceaux de
coquilles, fils d'araignée, traces de l'escargot, cocons, pollens, je vous ai pris
par la main. Dans l'aile brisée d'un
moustique j'ai vu les grandes invasions.
Les paillettes du sable l'autre soir étaient
les étoiles renversées d'une nuit d'encre.
Dans le lait de l'euphorbe j'ai regardé

passer des femmes d'une telle beauté
que les miroirs éclatèrent. Dans un pla-
teau de la balance, j'ai mis l'éléphant et
dans l'autre une patte de sauterelle. Eh
bien, l'éléphant ne s'est pas trouvé le
plus lourd. Falun de plantes et de bêtes,
cette légère poudre des champs baigne
magiquement toute chose, et d'elle sort
l'image qui va s'appuyer aux constella-
tions. J'ai présenté la cosse des fèves à
Cléopâtre : cette reine ne savait plus où
se mettre. Ah les hortensias n'ont pas
fait longtemps bonne figure devant un
poil de rat, cette splendeur. Confronta-
tions inénarrables. J'ai joui de la confusion du cygne devant la truffe. Mon
vocabulaire s'en ressent. Je parle un
langage de décombres où voisinent les
soleils et les plâtras. Car j'annexe également les miettes multicolores des villes.
Ne m'avez-vous jamais rencontré, dra-
guant les banlieues ?

— Quand fatigué moi-même d'avoir
toute la nuit ébranlé des cheminées et

secoué des fenêtres, à l'aube des terrains
vagues, je m'amusais abattant par
exemple la lettre U d'une défense d'uri-
ner par la brèche de la palissade, j'ai
souvent aperçu un crocheteur qui te
ressemblait.

— C'était moi. Pâles matins sur des
carnages rouge et or : éventration des
boîtes de conserves à cette distribution
de prix singulière où les couronnes
vertes sont des culs de bouteille. Les
bouchons de porcelaine des bières et
limonades doublés de rondelles rouges
pour la perfection de l'étanchéité valent
tous les nymphéas du monde. Univers
en morceaux, délaissé, sans espoir,
image du réel, je me complais à cette
photographie où voisinent la ficelle et
l'assiette, le pneumatique et le chiffon.
Tous les papiers froissés, déchirés, où
l'encre se décolore, les vieilles lettres où
le chiffre des jours, le chiffre d'affaire ne
se distinguent plus du chiffre des bai-
sers, les emballages d'où sortit la Vénus

utile, et qui ne sont plus qu'un amas beige paré d'un nom de magasin : papiers, papiers, vos vagues, vos manchettes, le fard hasardeux des pluies vous transforme, loques déteintes de pensées, où balbutie encore une étiquette bleue. La destinée des étoffes que le revendeur même dédaigna, éclaire de souvenirs de bals le monceau des ordures, préférables aux anciens danseurs. Dans l'herbe jaune où tout échoit, majesté des boutons de culotte. Parapluies promus fantômes, dinosaures aux os rompus à quel jeu défiez-vous les porcelaines percées ? Les fourchettes noircies promènent dans les déchirures de mouchoirs-revenants le sourire édenté des sorcières. A qui dans la mâchoire de cette charmante chaussure impaire porte donc malheur ce miroir brisé ? La lumière sur ces fragments prophétiques prend à ce solstice hivernal des choses la grande douceur des jours alcyoniens. Le cerf humanité se reconnaît à ses

abattures. Sa course laisse contre les
palissades de longs pipis obscurs, pareils
à son ombre encornée. Tout ce que je
dis respire les confidences acroatiques
d'une casserole grelée à son maquereau,
le chapeau melon tatoué d'étoiles. Tout
a pris les teintes miraculeuses du temps.
Allumettes phosphore et aurores boré-
ales se confondent à la séquence de plusieurs mythologies.

Ma chambre est une pièce extraordinaire, sans parler de l'ameublement
dédoré, sans rien pour cacher la bourre
et les sangles, des murs où les mousses
font irrégulièrement place à des affiches
lacérées, du plafond d'épluchures et du
parquet de capucines, rien que par la
singularité de la cheminée avec son
revêtement de glumes, son foyer de
buvard pour brûler des épingles de
nourrice ! Mais que dire de sa garniture
allégorique ? Deux citrouilles classique-
ment pourvues de chandelles et sché-
matiquement creusées d'yeux, de nez et

de bouches, chacune par deux fois, sont
les candélabres Janus d'une parure
complétée par la pendule que je vais
décrire. Au-dessus du cadran, qui est
une glace où je me regarde, se serrent
la main, très ressemblants, crachés,
l'Inspiration et le Style. A leurs pieds,
imité d'une façon merveilleuse, s'ouvre
un bréviaire d'archimagie. Qui donc
prétendait l'autre jour qu'il fallait opter
entre l'inspiration et le style ? Quel que
soit le palmipède qu'il jette sur ma pendule son œil de canard. Sans doute les
batraciens de l'encrier, les aptères du
consentement universel avaient, après
la rude humiliation infligée à leurs
pareils par les Kangouroos romantiques, — il reprit du poil de la bête,
imposant à l'admiration mécanique des
écoliers un idéal perlé, gris, toc, enfin
leur ton. Ce n'est pas une raison pour
que le style soit la propriété des profes-
seurs. D'abord tout le monde a un style,
ensuite mieux vaut un grand style qu'un

médiocre, à moins que vous n'ayez un
cœur de trombidion. De plus l'Inspiration, qui revêt de nos jours toute une
série de masques modernes, desquels
nous ferons ultérieurement l'inventaire,
n'est aucunement opposable au style.
Le soutenir serait gorille, écœurant,
ganache, officier. Ceux qui, n'en importe
pas l'origine, sont touchés par la rafale,
font un vilain métier s'ils la traduisent
avec des sifflets de deux sous. L'inspiration d'ailleurs est partout chez elle,
comment ne circulerait-elle pas dans le
style ? Un style sans inspiration pour un
apologiste de l'inspiration le drôle de
dada, dans le sens d'idée favorite. Cela
se voit clairement dans les récits qui
nous sont faits des rêves.

Le rêve passe de toute antiquité pour
une forme de l'inspiration. C'est en rêve
que les dieux parlent à leur victime, etc.
Il est à observer cependant que pour
ceux qui ont pris à noter leurs rêves un
soin, pur de préoccupations littéraires

ou médicales, jusqu'à ces derniers temps absolument sans égal, ne l'ont pas fait pour établir des relations avec un au-delà quelconque. On peut dire qu'en rêvant, ils se sont sentis moins inspirés que jamais. Ils rapportent avec une fidélité objective ce qu'ils se souviennent d'avoir rêvé. On peut dire même que nulle part une objectivité plus grande ne peut être atteinte, que dans le récit d'un rêve. Car ici rien, comme dans l'état éveillé ce qu'on nomme censure, raison, etc., ne s'interpose entre la réalité et le dormeur. Supposez qu'à transcrire cette réalité ils apportent les sottises d'un style imparfait, les voilà traîtres. Ils ne racontent plus un rêve, ils font de la littérature. J'exige que les rêves qu'on me fait lire soient écrits en bon français. Et à cette occasion je parlerai plus longuement du rêve.

Un journal du soir récemment demandait : Quelle est la couleur de vos rêves?

Question zouave, qui montre bien l'absurde analphébétisme public en la matière. Il y eut même une dame qui vint dire qu'elle faisait des rêves bleus. Il faut dire qu'à l'école de toutes les morfondantes sornettes (*La France, notre bopéyi, s'apeulait ja 10 l'Agaule*) qu'on enseigne, pas une ne concerne le rêve, jusqu'à présent. Le tonnage de Pondichéry, une des colonies préférées par les Patriotes de la Ligue Maritime, qui non contents d'inculquer dans leur classe l'Histoire et Géographie à l'herbe de bourgeois, veulent encore arroser cette herbe avec l'eau de la lanterne magique, pendant des heures supplémentaires, payées sur les économies de l'herbe même, où l'on fait défiler des vues de canonnières, de marins, de tonkinois pieds-nus tirant en pousse-pousse Messieurs les administrateurs et j'en passe, le tonnage de Pondichéry est indispensablement inscrit sur les tablettes de l'apprenti bachelier. Cepen-

dant il est vraisemblable, que si crétin,
si cocardier qu'il soit, le jeune gazon se
fout de Pondichéry comme de colin-
tampon. Il apprendra pourtant le tonnage de Karikal, mais il lui sera loisible
de croupir dans l'ignorance de ce qui
constitue une moitié de sa vie. Chaque
soir ils dormiront sans étonnement, et
s'éveilleront chaque matin tout au plus
avec des plaisanteries de caserne sur
certains phénomènes oniriques. Dans
ces conditions comment l'empirisme ne
serait-il pas le maître dans les idées que
se font plus tard les gens du rêve, tant
bien que mal ? Il est certain que nous
ne jugeons des rêves que par les récits
que nous nous en faisons, et rien ne
peut me prouver que ce récit que je me
fais répond à ce qui a eu lieu. Tout au
plus pourrais-je prétendre, et l'insuffi-
sance affective des mots à rendre compte
des sensations qui accompagnent les
péripéties rêvées en est mille fois la
preuve, que ce récit, que ma mémoire

rêve éveillée, est une simple traduction
dans le langage de la veille, de faits
peut-être entièrement différents. C'est
ainsi qu'avec les années, les époques,
les caractéristiques des rêves racontés
changent, comme s'il y avait *une mode*
qui les bouleversait. Quoi qu'il en soit,
le précaire des notions touchant le rêve
nous force à une sévérité très grande
envers les rapports qu'on en fait. Pas de
fausses subtilités ! Les rêves ne sont pas
l'occasion d'étaler vos goûts leptolo-
giques, de faire montre de quelques
connaissances rhétoriques péniblement
acquises. Ils ne sont pas non plus une
permission de noircir le papier pour
ceux qui n'ont rien à dire, qui voudraient écrire tout de même. Un rêve,
ça n'est pas toujours ça. La pureté du
rêve, l'inemployable, l'inutile du rêve,
voilà ce qu'il s'agit de défendre contre
une nouvelle rage de ronds de cuir
qui va se déchaîner. Il ne faut pas per-
mettre que le rêve devienne le ju-

meau du poème en prose, le cousin du
bafouillage ou le beau-frère du haï-kaï.

Ce qui précède s'appliquerait avec
succès à toutes les formes de l'inspiration, et particulièrement au surréalisme.
On sait que le surréalisme est une forme
consciente de cette faculté, l'interprétation moderne, justice faite des oripeaux
pythiques dont s'affublèrent un temps
les poètes, de ce phénomène discrédité
jusqu'à 1919 environ, en raison de ces
oripeaux mêmes. Le surréalisme est
l'inspiration reconnue, acceptée, et pra-
tiquée. Non plus comme une visitation
inexplicable, mais comme une faculté
qui s'exerce. Normalement limitée par
la fatigue. D'une ampleur variable suivant les forces individuelles. Et dont les
résultats sont d'un intérêt inégal. Il ne
manquera pas de fleuristes pour me
faire remarquer que tout le monde sait
ça, que ça tombe sous le sens. Par
exemple, voilà qui est fort. Tout au
contraire la légende règne qu'il suffit

d'apprendre le truc, et qu'aussitôt des
textes d'un grand intérêt poétique
s'échappent de la plume de n'importe
qui comme une diarrhée inépuisable.
Sous prétexte qu'il s'agit de surréalisme,
le premier chien venu se croit autorisé
à égaler ses petites cochonneries à la
poésie véritable, ce qui est d'une commodité merveilleuse pour l'amour-
propre et la sottise. Seulement, le
malheur, c'est que même, c'est que surtout quand la critique discursive ne
sévit plus, la personnalité de celui qui
écrit s'objective, et à cet égard, on peut
dire en quelque sorte qu'un texte surréaliste, en fonction de son auteur,
atteint à une objectivité analogue à
celle du rêve, qui dépasse de beaucoup
le degré d'objectivité relative des textes
ordinaires, où les défaillances n'ont
aucune valeur, alors que dans le texte
surréaliste elles sont encore des faits
mentaux, intéressants au même titre
que leurs contraires. La valeur docu-

mentaire d'un tel texte est celle d'une photographie. En réalité toute poésie est surréaliste *dans son mouvement.* C'est ce qui engage les singes appliqués à en reproduire les gestes en face de leur miroir à penser qu'ils sont des poètes. Mais non, mais non. Ils sont simplement les sujets d'une expérience, à laquelle ils n'apportent que la banalité de petites tentatives déjà connues. Il y a moyen, si choquant qu'on le trouve, de distinguer entre les textes surréalistes. D'après leur force. D'après leur nouveauté. Et il en est d'eux comme des rêves : ils ont à être bien écrits. J'entends d'ici les exclamations hypocrites. Et qui vous dit que pour bien écrire il faut s'arrêter sept ans entre chaque mot ? Bien écrire, c'est comme marcher droit. Mais si vous titubez, ne me donnez pas cet affligeant spectacle. Cachez-vous. Il y a de quoi être honteux.

Ainsi le surréalisme n'est pas un refuge contre le style. On a trop facile à

croire que dans le surréalisme le fonds et
la forme sont indifférents. Ni l'un ni
l'autre, mon cher. La forme je viens de
le dire. Le fonds, j'y viens ensuite. Que
l'homme qui tient la plume ignore ce
qu'il va écrire, ce qu'il écrit, de ce qu'il
le découvre en se relisant, et se sent
étranger à ce qui a pris par sa main une
vie dont il n'a pas le secret, de ce que
par conséquent il lui semble qu'il a écrit
n'importe quoi, on aurait bien tort de
conclure que ce qui s'est formé ici est
vraiment n'importe quoi. C'est quand
vous rédigez une lettre pour dire quelque chose, par exemple, que vous écrivez n'importe quoi. Vous êtes livrés à
votre arbitraire. Mais dans le surréalisme
tout est rigueur. Rigueur inévitable. Le
sens se forme en dehors de vous. Les
mots groupés finissent par signifier
quelque chose, au lieu que dans l'autre
cas ils voulaient dire primitivement ce
qu'ils n'ont que très fragmentairement
exprimé plus tard. De même l'observa-

tion familière à ceux qui se sont adonnés au surréalisme, qu'un mot peut fort bien y remplacer un autre, sous certaines conditions physiques d'homologie, que souvent la main écrit un mot bien différent de celui que l'expérimentateur s'entend alors dicter, que le sens de la phrase en est bouleversé, mais sans que cela gêne aucunement l'homme qui écrit, on a tendance à admettre l'indifférence absolue de ce sens cristallisé, dont on n'assume point la responsabilité. Grossière erreur. D'abord pourquoi la main se tromperait-elle, et non pas l'oreille ? Mais surtout ce genre d'appréciation dénonce une notion absurde et superficielle de la réalité du langage. Le sens des mots n'est pas une simple définition de dictionnaire. On sait, ou l'on devrait savoir, qu'ils portent sens dans chaque syllabe, dans chaque lettre, et il est de toute évidence que cet épellement de mots qui conduit du mot entendu au mot écrit, est un

mode de pensée particulier, dont l'analyse serait fructueuse. Ainsi le fond d'un
texte surréaliste importe au plus haut
point, c'est ce qui lui donne un précieux
caractère de révélation. Si vous écrivez,
suivant une méthode surréaliste, de
tristes imbécillités, ce sont de tristes
imbécillités. Sans excuses. Et particulièrement si vous appartenez à cette
lamentable espèce de particuliers qui
ignorent le sens des mots, il est vraisemblable que la pratique du surréalisme ne mettra guère en lumière
autre chose que cette ignorance crasse.
Ne venez pas nous montrer ces élucu-
brations vicieuses. Vous ne savez pas
le sens des mots. Je parie que ce que
vous écrivez est bête,

Une fois de plus je suis le Plevna des
sourcils froncés, ces rats d'œil m'en-
tourent, je vois des têtes hocher comme
champs de blé qui frissonnent, ce n'est
qu'un cri chez les cuscutes, ou du
moins, l'expression m'emporte, la voix

n'est jamais élevée par les personnes
comme il faut, je veux dire qu'il se fait
une merveilleuse unanimité d'échos :
« Qu'est-ce, mais qu'est-ce que, mais
qu'est-ce que c'est, qu'est-ce que c'est
que ce point de vue littéraire ? » Messieurs les Nymphes, la littérature, c'est
vos petits rochers. La littérature, aux
divers sens du mot, se nomme recette.
Le style, qu'ici je défends, est ce qui ne
peut se réduire en recettes. Et puis je
ne veux pas, tu m'entends multitude,
que le texte surréaliste, non plus que le
rêve, passe dans le compartiment des
formes fixes, comme un perfectionne-
ment de liberté payant patente, avec
l'assentiment enregistreur des morveux
qui trouvent déjà le vers libre bassinant.
Un pas en avant du vers libre ! Voilà ce
que les gens aimeraient entendre dire
du surréalisme, et en effet ça a de la
vraisemblance : pourquoi aller à la ligne,
cette bêtise a fait son temps, on rimait
d'une main très molle ces derniers jours,

un autre arbitraire peu à peu s'était
substitué au panpanpanpanpanpan-
panpanpanpanpanpan de jadis, le surréalisme vint. Je ne dis pas que l'exemple qu'il donne n'implique pas cette
leçon. Mais le réduire à cela, serait le
réduire au succès, à la recherche d'un
succès. Si vous entendez un traître mot
à mon langage, vous aurez compris que
quand je dis qu'un texte surréaliste doit
être bien écrit, je porte un jugement
qui atteint tous les textes qu'on me
donne pour surréalistes, qui en sont la
singerie. Tout le monde croyait jadis
écrire en vers, c'est facile mon bonnet
rime avec petit déjeuner, et maintenant
tout le monde, après avoir dit un poème
dada, rien de plus simple, tenez seau à
charbon bonbons confiture, s'écrie le
surréalisme j'en suis : les cuisses des
horizontales obsolètes… (car ces acro-
bates trouvent le surréalisme un peu
bordel). Mais sans aller à ces naïfs
extrêmes, je rencontre mille intermé-

diaires qui ont plus ou moins saisi le
truc. Ils sont de bonne foi, ils défendent
le surréalisme. En d'autres temps ils
eussent été des verlainiens, des musset-
tistes. Ils écrivent donc n'importe comment, c'est-à-dire suivant leur pouvoir,
c'est-à-dire mal, ils écrivent. Du surréalisme, ça ? Vous voulez rire, mais
chacun s'y trompe. Voilà la littérature
réinstallée. Tout au contraire dans
l'expérience surréaliste proprement dite,
tout se passe comme si la courbe d'un
mobile, duquel nous ne savons rien,
s'inscrivait. Au nom de quoi, discute-
riez-vous les variations de cette courbe?
Ses hauts, ses bas, ses interruptions
valent par ce qu'ils expriment d'inconnu. Cet inconnu, c'est à sa quête que
ceux qui poursuivent l'expérience présente se sont lancés. Les matériaux
qu'ils accumulent, ou qu'ils accumule-
raient s'ils avaient toujours conscience
d'une tentative de laquelle tout veut les
détourner, valent essentiellement les

uns par les autres. Ce sont les éléments
d'une hypothèse future, les monuments
d'une hypothèse passée. Ils méritent,
ils exigent quelque sévérité, le refus de
considérer comme leurs partis des falsi-
fications plus ou moins habiles. Et
parmi eux il faut écarter les inutiles
redites de faits déjà établis. J'appelle
bien écrit ce qui ne fait pas double
emploi. « Ah ! alors ! » Professionnels
des interjections veuillez m'expliquer
ces trois dernières syllabes. Vous n'y
parvenez pas ? C'est bien simple, elles
témoignent du besoin que vous avez de
relire tout ce qui précède, depuis le
début de ce livre en faisant bien attention.

Ces dernières pages n'épuisent aucunement ce que j'ai à dire du surréalisme. Les suivantes ne prétendent pas
le faire. Sous les espèces de ce mot tant
de pierres éventuelles sont venues
s'amasser pour la construction d'un
édifice bizarre, qu'il faudrait entre-

prendre l'histoire de ce mot, proprement son histoire pour comprendre le
sens de cette énigme, les mille tours du
bâtiment. Tel n'est pas mon dessein.
Toutefois il n'est plus possible de considérer le surréalisme, sans le situer dans
son temps. Sphinx-forteresse, ville mentale qui porte sur ses murs sa légende et
dont les flammes sont peintes à l'image
du destin. Il se définit à l'heure actuelle
plus encore que par ce qu'il est, par
ceux qu'il défend et par ceux qui
l'attaquent. Que les méthodes de pensée que supposent le surréalisme et sa
pratique, impliquant un certain nombre
d'idées générales et déterminant par là
d'une façon nécessaire la systématisation, effectuée ou virtuelle, qu'un surréaliste se doit de sa conception du
monde, que ces méthodes entraînent
donc une plus vaste construction, ou
que, comme il est vraisemblable, même
si l'apparente histoire de quelques individus semble le contredire, ces méthodes

découlent d'une conception du monde
qu'à leur tour elles permettent d'éclair-
cir, et que cette conception embrasse la
multiplicité des faits qu'une première
appréhension nous donnait pour irré-
ductiblement hétérogènes (de telle sorte
qu'elle porte en elle-même leur différence
et leur unité), qu'ainsi le surréalisme
débordant son objet particulier réalise,
par le triple effet d'une généralisation
d'hypothèse, d'un raisonnement para-
nalogie et de l'adaptation organique de
ce surréalisme considéré comme un fait
aux circonstances de son développement, la synthèse inattendue de divers
aspects du monde moral, voilà ce qu'il
faudrait montrer pour décrire cette position particulière au milieu des valeurs
intellectuelles, d'un facteur qui se pré-
sentait initialement d'une façon si défi-
nie et qui semble seulement avoir peu
à peu perdu cette détermination, qu'on
lui croyait essentielle. Inutile d'insister.
Au plus court j'irai à ce reproche entre

mille que j'ai mille fois entendu corner
dans les marécages où pareils aux
enfants bougons qui ne peuvent mâcher
leur viande et en posent l'affreux magma
décoloré sur le bord refroidi de l'assiette,
les ahuris pataugeurs s'empêtrent dans
les arguments flaques et les objections
chewing gum. Ce reproche, le voici :
pourquoi les surréalistes veulent-ils
annexer au surréalisme, et s'en suivent
des noms anciens, de plus modernes, et
quelques erreurs du récitant. Le joli
caillou ! Je ne m'arrêterai pas à la
sombre sottise du verbe annexer. Mais
n'est-il pas vrai que les surréalistes ont
tenté un reclassement de certaines
valeurs ? et par exemple sous la forme
légendaire de personnages, de poètes.
Cela fait qu'avec l'habituelle petitesse
de ceux qui ne se préoccupaient aucunement jusqu'à ce qu'on leur en parlât
de Scève, Borel ou Nouveau, nos braves
gens s'exclament que les surréalistes
montent sur les épaules et s'en suit le nom

de quelqu'un dont les épaules étaient
pourtant bien cachées par de sales
brumes. Je ne m'arrête pas non plus à
cette aimable insinuation utilitaire.
Querelle de sous-officier. Mais je vous
le répète le surréalisme se définit par
ceux qu'il défend et par ceux qui l'attaquent. C'est à cet égard qu'il revendique,
et cela on ne le lui dispute plus, malgré
les quelques précédents, un article de
Léon Bloy dans *Belluaires et Porchers*,
une ordure de Gourmont dans *le Livre
des Masques*, un article de Valery-Lar-
baud dans *la Phalange*, et n'a cessé de
revendiquer l'ombre énorme, hantée et
menaçante, de l'arbre qui porte le ciel
dans ses branches et plonge son pied
dans l'enfer, Isidore Ducasse, comte de
Lautréamont. *On* veut bien reconnaître
en lui le grand homme des surréalistes.
Mais à tant de bonté comment répondre?
Car la démarche est double, et si les
uns, comme je le disais, nous reprochent
de nous servir de Ducasse, ce qui est

comique, il s'en trouve d'autres pour démontrer que nous sommes des pas grand chose, puisque notre idéal n'est que Lautréamont, ce qui est farce. A la suite d'une réédition qui renouvelait pour Lautréamont le genre de démarche cher à M. Claudel, qui nous bâtit jadis un Rimbaud catholique, mais cette fois confondant Isidore Ducasse avec un révolutionnaire, bien mal choisi, qui finit à Bruxelles en odeur de sainteté (petite fantaisie malheureusement mal assise, et que dans *Le Journal* même, tout arrive, le témoignage de M. Lucien Descaves venait rapidement effondrer), j'eus l'occasion d'écrire à un critique, appartenant à la seconde catégorie des gens dont je parlais, et je mets sous vos yeux la lettre que je lui adressai, qui me semble un modèle du genre :

Vieille pourriture,
je lis à l'instant les canailleries du 15 et du 19 septembre. Je te trouve grossier, cul-

foireux, mais surtout menteur et lâche. Il t'a fallu quatre jours pour apprendre que la version imbécile Lautréamont-orateur public que tu avais acceptée dans ton igno-rance de carpe était au moins controversée. Mais en y revenant tu as entortillé ta merde de façon qu'elle tourne à ta gloire. Nous avions déjà l'article sur Baudelaire où tu discourais de ses plaques muqueuses, cette fois tu fais dans la psychiâtrie. Peu importe l'ironie énorme que tu déploies, cependant relis tes deux articles l'un après l'autre. Tu y verras, ce que tu sais fort bien, une série d'insolences basées sur le néant, qu'un ou deux renseignements tar-difs ont fait écrouler. Puis plus aucune mention de ces allégations spirituelles, et l'impudence du bavard qui veut à tout prix avoir raison.

Au fait, donne-moi un renseignement, puisque tu m'accuses de chercher à faire parler de moi. est-il vrai que M. Soupault t'ait demandé d'écrire un article sur sa petite réédition ? Vous pouvez être contents

l'un de l'autre. Il en vendra dix exem-
plaires de plus, et toi ça t'a purgé. Tu as
bien chié.

Je n'ai pas l'intention de discuter avec
une couenne faisandée. Tu es une de ces
saloperies dont l'idée seule schlingue. Tes
productions, par un trope hardi nous dirons
qu'elles ne sont pas tapées, mais qu'elles
tapent, et que toi-même faisant ta putain
périodique tu cocottes. Enfin pour me faire
comprendre de ta science médicale, tu es
assez comparable au fromage qui se déve-
loppe dans les nez tuberculeux. D'ailleurs
je t'ai aperçu une ou deux fois : tu es
ignoble. Etron intellectuel, tu as le physi-
que de l'emploi. Tu es une vieille chemise
oubliée dans un urinoir.

Mais prends garde, puanteur rance, à la
place où tu lâches tes immondices. Il pour-
rait arriver, je te dis ça très doucement,
d'une façon toute épistolaire, et à titre de
renseignement, que les lecteurs très jeunes
que tu désignes inconsidérément trouvas-
sent qu'au bout du compte ils ne peuvent

*plus supporter l'existence de ta charogne,
et que, saisissant le balai des... tu m'entends ? ils s'en servissent avec une certaine
vigueur contre ta félide personne.*

*J'ai bien l'honneur de me boucher le nez
devant ta barbiche.*

Post-Scriptum : *avec la même douceur
je t'avertis que tu ne traites pas tout à
fait de la question Lautréamont avec
l'intelligence et la compréhension moyennes
d'un journaliste sans tare physiologique.
Réfléchis. La paralysie générale te gagne,
tu as eu récemment de mauvais réveils,
et ton miroir t'apprend déjà sur ta loque
des choses... inquiétantes. Je ne t'en dis
pas plus. Un accident est très vite arrivé.*

(A ceux qui ne manqueront pas ici de
me faire observer que je perds mon
temps à ce genre d'exercice, et que
vraiment enfin... je répondrai seulement que mon correspondant est le
même qui écrit que Rimbaud a sans
doute quitté l'Europe dépité de n'avoir

pas fait un mariage mondain. A ce joli
trait, je lui permets de se reconnaître).

Voici donc un point acquis : Lautréamont est le grand homme des surréalistes. Que ce soit ainsi n'entraîne pas
les constatants à chercher ce qui en est
la raison. Il leur suffit de penser que
Lautréamont est un comble, et que partant les amateurs de combles. Cependant ne serait-il pas satisfaisant de
savoir que ce choix ne relève pas du
hasard, répond à une réalité nécessaire ? La grandeur d'Isidore Ducasse
n'attend pas de moi une apologie.
L'inatteignable n'est pas à portée de
louanges. La plus haute expression poétique empruntée par l'homme le plus
intelligent qui ait jamais daigné écrire,
il n'appartient à personne de la situer
sur le rebord des petites curiosités.
Mais, toutes proportions perdues, n'é-
tait-il pas naturel que ceux qui se sont
dévoués à la poésie dans ce qui les
dépasse, furent sans cesse amenés à

comparer les échalas qu'ils brandissent
au pic démesuré quant à la hauteur qui
venait devant eux de sortir des nuages ?
Et pour la première fois retentissait,
avec une intensité inconnue, cette voix
lucide, en qui le mystère poétique a su
rester constant, cette voix que cherchent à entendre les hommes d'aujour-
d'hui, qui en recueillent les rares murmures à la faveur de nouvelles machines
mentales, hasardeusement inventées.
Une sorte de timbre singulier caractérise ces révélations, précairement pro-
voquées. En reconnaître en Lautréamont la permanence et l'égalité, voilà
qui ne fait que commencer à déconcer-
ter les esprits les plus réfléchis de ce
temps. Lorsque l'ouvrier qui creusait les
profondeurs de la terre, fût-il dans les
montagnes de la noueuse Asie, ou près
de la mer Italienne, où la poussière est
la plus légère parce qu'elle est faite avec
la poudre des statues, lorsque l'ouvrier
entend soudain sonner étrangement

l'acier de la pioche, il se penche, il interroge le lointain vertical, il croit reconnaître un chant funèbre. Il colle au fond
de la fosse une oreille habituée aux
romances. Quel est ce roulement perpétuel ? Un défilé monstrueux, une
troupe énorme que rien ne lasse. Ample
sonorité des charrois souterrains. Les
nappes fuyantes des eaux cachées passent ici où tout se confond. Celui qui
écoutait se relève. Il n'oubliera jamais
la voix immense. Si les vicissitudes
d'une vie mercenaire, les malheurs
inhérents au travail, à la forme vaga-
bonde des esclavages modernes. un jour
dans quelque autre pays où les moindres
détails célestes, les feuillages, les rires
des ruisseaux, devraient le détourner
d'un souvenir ancien, le ramènent au
cours de quelque percement d'isthme,
de quelque forage de puits, au niveau
des voûtes mystérieuses qui sonneront
encore sous la pioche, avec cet accent
sans pareil, il ne s'y trompera point, il

saluera la masse abyssale, l'écumante et
large mer intérieure, qui passe sous
Paris et qui coulait sous Delphes. Seule
signification du mot Au-delà, tu es dans
la poésie, à ce point où s'éveille une
méditerranée de rumeurs. Et entièrement. Je me souviens d'une cascade au
fond des grottes. Quelqu'un que je con-
naissais, un ami nommé Robert Desnos,
parlait. Il avait retrouvé à la faveur d'un
sommeil étrange plusieurs secrets perdus de tous. Il parlait. Mais ce qui s'appelle parler. Il parlait comme on ne
parle pas. La grande mer commune se
trouvait du coup dans la chambre, qui
était n'importe quelle chambre avec ses
ustensiles étonnés. Je me souviens d'un
temps de grand mystère, plus tôt,
quand plusieurs choses n'avaient pas
encore pris pour moi cette teinte grisâ-
tre et sale, que le monde chaque année
de ma vie semble suer davantage par des
pores toujours élargis, quand les premières expériences   d'une nouvelle

science encore innommée, apportaient
chaque soir les résultats d'une extraordinaire alchimie. Je revois de petits
cafés où se rencontraient quelques hommes qui opéraient la transsubstantiation
de chaque chose en miracle. Je revois
André Breton qui faisait posément le
tableau quotidien d'une chasse fantas-
tique. Je me promenais avec lui à travers une zoologie, une botanique réin-
ventées. Nous nous arrêtions devant
les cages, nous regardions dans les
serres. Il y a de cela huit années cet
automne. Les eaux cachées roulent toujours profondément.

De même que chaque mot est à la
merci du premier qui songe à le prendre en mauvaise part, et que plus rien
alors n'arrête sa dégradation, de même,
et il roule sur la pente, comme un
chien avec ses puces, il voudrait se dé-
barrasser de cette inflexion péjorative,
mais rien n'y fait ! de même il m'appartient de poser ma main sur un mot

déshonoré par un emploi centenaire,
calmement, et de lui dire : Va, mon
fils. Ainsi je donne un sens très élevé au
mot style. Je lui remets sa belle robe.
Je lui rends son regard très pur. J'appelle style l'accent que prend à l'occasion d'un homme donné le flot par lui
répercuté de l'océan symbolique qui
mine universellement la terre par méta-
phore. Et maintenant détache cette
définition, valet d'écurie ! Qu'elle rue et
te casse les dents ! Je peux maintenant
parler du style de Lautréamont. Ceux
qui y trouveraient à redire n'auraient pas
compris le propos qui précède. « *Quand
tu étais enfant* (*ton intelligence était alors
dans sa plus belle phase*), *le premier, tu
grimpais sur la colline avec la vitesse de
l'izard, pour saluer, par un geste de ta
petite main les multicolores rayons de l'aurore naissante… Malheureusement ils sont
petits, ces brigands de la longue chevelure.
Ils ne seraient pas bons pour être conscrits ;
car ils n'ont pas la taille nécessaire exigée*

par la loi. Ils appartiennent au monde lilli-
putien de ceux de la courte cuisse, et les
aveugles n'hésitent pas à les ranger parmi
les infiniment petits. Malheur au cachalot
qui se battrait comme un pou. Il serait dé-
voré en un clin d'œil, malgré sa taille. Il
ne resterait pas la queue pour aller annon-
cer la nouvelle. L'éléphant se laisse cares-
ser. Le pou, non... Toute une série d'oi-
seaux rapaces, amateurs de la viande
d'autrui et défenseurs de l'utilité de la
poursuite, beaux comme des squelettes qui
effeuillent des panoccos de l'Arkansas, vol-
tigent autour de ton front, comme des ser-
viteurs soumis et agréés. Mais, est-ce un
front ?... Je fais avec sang-froid la perspi-
pace remarque que j'ai les yeux ouverts,
quoiqu'il soit l'heure des dominos roses et
des bals masqués... Le régulateur de l'âme
n'est pas le régulateur d'une âme. Le régu-
lateur d'une âme est le régulateur de l'âme,
lorsque ces deux espèces d'âmes sont assez
confondues pour pouvoir affirmer qu'un
régulateur n'est une régulatrice que dans

l'imagination d'un fou qui plaisante...
Toute l'eau de la mer ne suffirait pas à
laver une tache de sang intellectuel ».

Oui, fille de l'évidence, enfant des
mèches de lampe, oui, bébé des clochettes, de la juste remarque aimable
progéniture, tu l'as dit en rêve : il faudrait tout citer. Encore n'est-il pas sûr
qu'alors, après cette massive, exemplaire
leçon, ton oreille bordée d'un feston de
broderie anglaise, ton oreille couleur
des pieds de veau, ta tendre oreille de
caoutchouc, ton oreille semblable à la
ruche toujours quant à la cire et parfois
quant au bourdonnement, ton petit car-
tilage crasseux plus voisin par la forme
d'un beignet mal soufflé que d'un pavillon de phonographe, soit, ou je
m'abuse étrangement, devenue progres-
sivement apte à saisir au creux herbu
des phrases le tintinabulement clair
d'un verre choqué, qui fait en mer à
chaque fois mourir un homme et la
même cérémonie se déroule, des marins

rangés au pavillon en berne, plouf ! le
sac à la vague emporte le dormeur. Mais
si je me trompais sur tes facultés mentales, eh bien, ce n'est pas moi qui dé-
tournerais jamais les saumons anadro-
mes de remonter le courant ! Prends
garde au moulin, matelote !

Légumes, morfondants légumes. Je
pense à ces femmes dont la vie s'est
écoulée à l'ombre de vos épluchures, et
le couteau luisait tricotant dans leurs
doigts. Légumes, vos couleurs tristes,
vos déchets, votre consistance. Certainement je ne hacherai pas menu le sal-
sifis des reproches, le rutabaga des
voyez-vous bien, le navet des raisons
sans fin, la rave, la rave. Je laisse aux
moisissures les objections à gueule de
tomate, les arguties à fond d'artichaut,
les cris de putois de la courge, tout un
vrai raifort critique. Si je devais aller au
marché des idées faites comme les
poches qui poussent leur bleu champignon dans les blettissements des cer-

velles, si je devais rapporter dans mon filet le poireau chevelu, la carotte obscène et l'oseille à tousser, eh bien vous pourriez louer des chaises. Ce que le chameau, la cochonne, le rat musqué, la crevette, le pou de corps, l'acarus, le ver blanc, la bique, le cancrelat, la punaise, le sergent de ville, la limande, la hyène, le cafard, le crapaud, le crabe, le canard, le bacille de la peste, le chien, la puce et la vipère peuvent dire m'est bien égal ! En trois mots les griefs faits aux surréalistes sont sans importance. Leur position seule importe : ce qu'ils défendent, et avec quoi, voyez-vous d'ici la barque et ses clients gorgés, l'on lie malgré tout partie en les attaquant. D'un côté ceci, de l'autre cela. Vous n'êtes pas si jeunes que vous ne sachiez pas reconnaître l'ordure à la vue, sinon à l'odorat. Flairez bien. L'odeur vient de quelque part. Vous ne pouvez pas vous y tromper.

Nous ne tiendrons pas compte des

giries les plus manifestes et très particulièrement nous abandonnerons à la
voierie les épilogages littéraires, les
comparaisons avec Montaigne, les cita-
tions de Chamfort, les références puisées dans Joseph de Maistre, le latin, le
bon vieux temps, se donner un genre,
l'honneur des familles, la queue du symbolisme, les définitions de la beauté
puisées dans Anatole France, les gens
qui ont eu une jeunesse, la perversité,
le péril national, l'arrivisme, la folie
qu'on enferme et celle qu'on n'enferme
pas, vous y viendrez, le sourire, je ne
marche pas, la pitié, nous connaissons
déjà ça, ceux qui relisent les classiques,
les moins de trente ans (hideux rictus),
l'indignation, le couplet patriotique, les
imputations de bidet, les petites histoires de témoins oculaires, les souvenirs, les amis de toujours, les courageux
en pantoufles, les amateurs de mes
livres, l'impartialité ! Je ne parlerai que
d'un monstre dont il semblerait aujour-

d'hui que les surréalistes se soient assu-
rés le monopole. Il s'agit du dragon
Ne - pas - mettre - ses - actes - en - rapport-
avec-ses-paroles. Sa caverne est décorée
de définitions de l'action, et il y a une
citation du Premier Faust sur le manche
de ses petites cuillers. Quand le monde
en parle, ses yeux, au monde, lui
sortent de la tête que ça fait peur. Aussi
faut bien dire, que de tout son honnête
curriculum vitae, notre monde a vu
bien des choses, des parricides, des an-
thropophages, des enculeurs d'hémor-
roïdaires, mais des gens qui ne mettaient
pas leurs actes en rapport avec leurs
P'Haroles ! Ou alors c'étaient les derniers des derniers. Oui, je sais : pas de
doucereux conseils, il me plaît, à moi,
de mettre les pieds dans le plat. Et en
ces termes. Je sais que les sales nez
obliques qu'on ne peut jamais voir de
face parce qu'ils se tiennent sur la réserve, ne vont pas manquer dans leur
langage de rhume de prétendre en suin-

tant partout que le fait de prendre les
choses ainsi prouve qu'il y avait du
vrai dans ce qui se dit un peu au hasard, que c'est celui qui se sent morveux... Ah bien, les pifs, l'expression
est malheureuse ! Vous ne voyez pas la
goutte qui vous pend à cette heure. Ça
pisse par rasades. Voilà qui est récon-
fortant pour la morale, et qui m'incite à
regarder les dessous mal blanchis de
l'expression qui vous est familière. Ça
m'a l'air d'une donzelle, pas dégoûtés
les gens qui vont avec !

Qu'est-ce donc, dans ces têtes de ju-
jube, que de mettre en rapport Un, ses
actes, avec Deux, ses paroles ? Il faut se
représenter soigneusement l'opération
décrite. En détails. Le citoyen que nous
nous posons là, comme un simple po-
lygone à l'air bête, pense donc avant
d'agir, et s'exprime chemin faisant.
C'est un homme de loisirs. Cependant
il y a lieu de croire qu'il est très respec-
tueux des lois de son pays. Car s'il se

proposait, voyons un bon exemple, d'assassiner, qui ça ? Monsieur Louis Barthou, autant prendre un exemple rigolard, ce crime au ralenti risquerait d'être prévenu par le bras zélé d'un fonctionnaire ambitieux. Donc notre lapin à ressorts multiples ne met guère d'accord que des paroles bien sages avec des actes dépourvus d'intérêt. Ça ne va pas plus loin que s'il pleut demain je ne sors pas de ma turne. De plus, on aimerait savoir ce que signifie le bavardage soudain de notre bourgeois ? Qu'est-ce qui le pousse à parler ? Et si vous aviez pour deux sous de jugeotte vous pourriez lui demander si ses paroles, tout d'abord, étaient en rapport avec ses actes antérieurs. Si oui, ne trouvez-vous pas, Marie, que ça suffit comme rapport ? Si non, veuillez m'expliquer, ma chère, ce saut de cabri des faits aux paroles. Tout de même, un homme, ce n'est pas un pantin en épingles qui vit dans une cloche à plongeur. Peut-être

dans le jour qu'il claque sa moitié, ne
trouverait-on pas de raison valable à un
geste qui paraît alors disproportionné.
Si elle lui a dit : Mon gros, tes diamants,
c'était dans une bonne intention, et
sans doute que la phrase est un peu vulgaire. Mais de là à une claque ! Sonore.
Ce que vous ne savez pas, c'est que cela
fait quarante-trois fois, parfaitement,
depuis lundi que cette personne qui a
rendu visite au maire avec lui dit au
patient sans en changer un pet : Mon
gros, tes diamants. A la fin ça vous
agace. Gifle. Mécanisme à généraliser.
Donc avant d'accuser les voisins d'être
des blagueurs, de les taxer de ridicule
quand ils gueulent, de trouver qu'ils
exagèrent, et, même, de dire que ces
animaux-là n'ont pas à se plaindre, que
les cailles tombent rôties dans leurs becs,
qu'ils ont une mine de prospérité, etc.,
pénétrez-vous de cette idée élémentaire
que vous n'en savez pas un radis, de la
vie des autres et que si vous ne voyez

pas les raisons de leur air acariâtre, moi
ce sont celles de votre belle humeur qui
m'ont un râble de fantôme ! Je répète
qu'un homme n'est pas une abstraction : il est jeté dans les faits par les
mains de la sage-femme, il doit téter, ce
barbu, avant de savoir maudire le sein
qu'il habita. Quand il trouve le temps,
au milieu d'un enchevêtrement de tin-
touins divers, de s'exprimer sur un sujet qui lui tient depuis longtemps à
cœur, c'est comme un crachat bien
salivé à l'avance, vous voulez rire lui
dit-on, mince de postillon. Et puis il y
a les passants qui en ont le portrait tout
éclaboussé, ceux-là la trouvent mauvaise, ils se plaignent avec aigreur, ils
ne faisaient rien de mal, ils ne provo-
quaient pas Monsieur, ils passaient.
Comme tous les passants. Ah vous ne
faisiez pas de mal, ah vous ne provo-
quiez pas Monsieur, ah mes gaillards.
Vous pouvez vous vanter d'avoir du
vice. En réalité ils ne voient pas du tout

pourquoi. Ils sont tellement habitués à
exhaler une puanteur de carne qu'ils se
croient, comme la race blanche, déli-
cieusement inodores. Les plus conci-
liants s'approchent du cracheur et lui
disent avec admiration et reproche que
c'est grand dommage de gâcher une
force d'expectoration aussi remarquable
pour un résultat qui est désagréable à
chacun, et les suggestions ne manquent
pas pour dériver cette énergie vers
quelque emploi plus utile, plus plaisant,
et surtout éminemment réglable.

Ainsi mettre en rapport ses paroles
avec ses actes passés, avec les faits non
choisis qui constituèrent votre existence,
s'exprimer comme une chaudière qui
éclate sous la pression, comme une tinette qui déborde sous les yeux répro-
bateurs des locataires, est plutôt mal vu
dans le quartier. Ou bien si ça ne gêne
personne, car on ne reprocherait jamais
aux gens de ne pas mettre... et vous
savez le reste, si leurs paroles avaient

cette belle vanité qui caractérise en géné-
néral les discours des chefs d'état, s'ils
ne disaient rien, mais vraiment rien. Si
vous et moi consentions à être des té-
nors, ou des barytons, qui chantent
n'importe quoi, ce que demande la société, mais qui le chantent bien s'entend, puis se taisent, et on les paie, eh
bien on nous payerait, on ne viendrait
pas nous dire que notre vie ne ressemble pas à celle de Manon Lescaut :
Adieu notre petite table. Mais ce qu'on
nous reproche c'est de crier *Tue !* et de
nous les rouler. Je fais observer que ce
que je crie n'est pas du à la génération
spontanée, je ne crois pas à la parthé-
nogénèse de ma violence mais à son dé-
terminisme. La chicane qu'on me cherche part de mauvaise foi, car elle néglige
systématiquement les origines de mes
paroles, pour n'en considérer que l'aspect, et le confronter à mes réactions
ultérieures. Passons sur cette canaillerie.
Si maintenant je considère une expres-

sion humaine, de la sorte qui est blâmée, je vous demande quel caractère d'impérativité comporte au juste une phrase pour celui qui l'émet. Sss, voilà le coin de bois où reparaissent les museaux pointus des hypocrites, oh ils sentent que ce que je vais dire pourrait bien se retourner contre moi.

Il est certain que, si dans un pays en guerre avec l'Allemagne, nanti de l'approbation générale des policiers et des imbéciles, ce qui revient à une majorité, je me mets à écrire que l'ennemi coupe les mains des petits enfants, que chaque fantassin de la Sprée au moment de glisser une balle dans son fusil y découpe en hélice le profil de Frédéric Nietzsche, histoire de la faire éclater, et j'en passe, et que dans ces conditions moi, je serais l'armée du Droit, j'irais à Berlin, quand ça devrait durer toute la vie, et sitôt la frontière passée je massacrerais les femmes et les enfants parce que c'est justice… alors personne ne songerait à

m'accuser de ne pas être sincère, ou
d'être roublard. On ne ferait pas remarquer, plusieurs années plus tard, que je
fais du commerce avec le personnage
désigné à la vindicte publique par une
affiche mémorable (Vous le voyez, ce
B… ? C'est le même). On ne ferait pas
remarquer que je passe quotidienne-
ment à côté de Messieurs très semblables
au portrait de l'affiche, sans me précipiter sur eux avec un couteau pour leur
réclamer la virginité de cette demoiselle
très comme il faut. dont j'ai entendu
raconter le viol avec tous les détails. On
me fait observer que ces propos datent
un peu. Je l'espère bien. Mais si, passant d'un pittoresque à l'autre, je dis
qu'un ministre, qui a pour lui les bour-
riques et tous les actionnaires de diverses entreprises, mériterait bien d'avoir
la plante des pieds rôtie, quel chahut !
On ne vous a jamais vu rôtir la plante
des pieds à personne, vous êtes un petit
garçon tranquille, il y a des gens qui

prétendent que vous êtes un bon fils,
vous ne voudriez pas qu'on rôtît comme
ça les pieds de votre maman. Enfin vous
n'êtes pas sérieux. On vous juge sévère-
ment. Remarquez que si l'on ne sait
rien de votre vie passée, comment
pourrait-on préjuger de votre existence
à venir ? Comment se permet-on… mais
je me mettrai tout à l'heure en colère. Il
est risible qu'on se fasse de la pensée
cette idée qu'elle est immédiatement
exécutoire et à tous les coups. Vous
imaginez d'ici un homme qui en a vio-
lemment à tout ce qui l'entoure, ou peu
s'en faut. Ça lui fait un sacré boulot
avant de pouvoir seulement envoyer
promener sa concierge ! Cette conception a l'avantage appréciable d'imposer
le silence à tous les gens qui pourraient
protester contre quoi ce soit. Tran-
quillisante perspective. Ils mettront
gentiment leurs paroles en rapport
avec leurs actes, et nous n'entendrons
plus ces gros mots, ces injures, qui

finiraient par salir notre réputation.

La vie d'un homme, on me permettra cette remarque, n'est pas plus à
l'échelle d'une phrase qu'à celle de la
critique de cette phrase. Je me révolterai toujours contre tout essai de réduction d'un être vivant à une sorte de mannequin, dont les faits et gestes seraient
compréhensibles à la façon des faits et
gestes des monarques notés au jour le
jour d'après des communiqués officiels.
Six mois d'une vie ne cataloguent pas le
vivant, l'activité d'un individu, seule la
mort en arrête le développement et
alors ce qui importe, c'est la signification générale d'une vie, et non pas les
détails de cette vie, édification ou scandale pour les uns ou pour les autres. Le
rapport entre les paroles et les actions,
alors s'établit d'une façon globale, sans
que rien puisse de la part du patient
corriger l'impression fâcheuse qu'il
laisse en s'en allant comme une mauvaise odeur. J'aurai été *cela* et rien

d'autre. Je dis ceci pour les prodigues de conseils, les mêmes qui font en guerre manœuvrer des armées de petits drapeaux sur des cartes-primes de l'Ouest-Éclair, et qui en agiraient à mon égard, par exemple, comme avec l'évêque de l'échiquier, appelé fou dans nos pays.

Sachez que si je traverse la rue en me préoccupant des voitures bien que le contraire vous paraisse plus héroïque et que vous ayez cru démêler dans mes écrits une idée de l'existence incompatible avec la prudence, c'est que je tiens à ne pas être écrasé parce que je ne trouve pas ça très intelligent de se laisser écraser, et ça ne m'enlève pas le droit de dire que je n'ai aucune reconnaissance à mes père et mère de m'avoir mis au monde, et que d'autre part je tiens à arriver sur l'autre trottoir avec une main droite, et de préférence mes deux pieds, pour pouvoir plus commodément flanquer une gifle à quelqu'un, peut-être vous-même, à qui j'ai la ferme intention

de flanquer une gifle, un jour. Je vis
dans des conditions qui me sont don-
nées, est-ce que j'ai choisi la forme de
mon nez, la force de mon poing ? Quand
j'écris, je m'exprime en dehors de cet
arbitraire. Quand vous lisez ce que
j'écris, ne l'oubliez pas, la vie est un
langage, l'écriture un tout autre. Leurs
grammaires ne sont pas interchan-
geables. Verbes irréguliers.

Où la bêtise bat son plein, c'est quand
tu considères, je ne puis m'empêcher
de la virgule précédente parce qu'il y a
dans la considération intransitive de quoi
ridiculiser son sujet d'une façon très
agréable, le fameux dilemme de l'action
et du rêve. On a de plus en plus écrit à
ce sujet depuis la première révolution
française. On a déconné, on déconne,
on déconnera longtemps. Pourquoi ?
Pour une vieille raison chère aux insti-
tuteurs, c'est qu'on ne peut additionner,
au moins sans prévenir son monde, des
casseroles et des haricots. L'oiseau, la

tarte, la crème de poireau, le pauvre diable qui le premier, enfin je me modère. L'histoire n'a d'ailleurs pas gardé son nom. Mais qui, qui a bien pu aller se fourrer dans le crâne que le rêve s'opposait à l'action ? Le rêve s'oppose à l'absence de rêve, l'action à l'inaction. Naturellement le rêve et l'action ne sont pas compatibles : comme le vermicelle et le roudoudou. L'idée de les atteler ensemble est une de ces inspirations de serin. Ne répond à rien dans la réalité dont nous avons tous passé la porte. C'est cependant la vieille histoire du rêve et de l'action qui nous vaut une conception mélodrame du professionnel de l'écriture et des débats qui s'instituent entre les chimères et le gagne-pain, sans parler des Déceptions Quotidiennes, ce thème symboliste. Nous avons eu les peintres qui se pendaient devant un chef-d'œuvre manqué, les déchirements atroces de Pygmalions qui sortaient des alcôves, délaissant de

fort jolies personnes pour se précipiter
sur le Marbre, nous avons eu le Parnasse
qui avait résolu la question par l'impas-
sibilité, nous avons eu les incompris
que ça turlupinait d'êt'pas compris, les
ceusses qui auraient voulu hommunier
avec la ffoule, les gens qui se faisaient
un public et ceux qui ne s'en faisaient
pas, on s'est tant frappé le cœur qu'il en
a perdu sa forme abstraite, on a tant
gueulé, gémi, dégueulé, regémi, que ça
fait comédie-française, on a... mais de
quoi qu'il s'agissait, il s'agissait, quoi
donc, de l'incompatibilité du rêve et de
l'action, mon cher. Et bien je me demande où cette incompatibilité se manifeste et ce que ça peut bien nous faire
qu'elle se manifeste ou ne se manifeste
pas ici ou là. Le rêve et l'action. L'action et le rêve. Un jour viendra qu'on
enseignera aux lycéens cet incroyable
lieu commun de fraîche date et que
ça les fera chier. Le rêve et l'action.
Essayez-en, constipés. Le rêve et l'ac-

tion. Envoi franco de la brochure.

A part ça, je me refuse à séparer l'un de l'autre deux êtres fictifs, l'auteur et le type qui s'en lave les mains. L'homme qui a tracé sur ce mur des mots mal ortographiés, mais précis, est le même iguanodon que voici flânant aux boutiques et je tiens à le dire si j'écris ce n'est pas pur désintéressement. On demande d'ailleurs à voir un homme désintéressé. Drôle d'eunuque. Et puis, si j'étais désintéressé, ce serait probablement au profit de quelqu'un qui ne le serait pas, désintéressé. J'écris quelque chose, de mon mieux, parfois très péniblement, et quand ça ne biche pas, je recommence, et je tiens énormément à ce que je dis, et j'en réclame pleinement la responsabilité.

Parler pour ne rien dire, du diable si c'est le propre des poètes. Car il faut opposer à ce rien le quelque chose de ceux qui ne sont pas des poètes. La prétention de substance en impose pour la

substance. Il y a entre la véritable expression poétique, je ne dis aucunement
le poème, et les autres expressions la
distance de la pensée aux bavardages.

Cependant, le néant poétique est une
idée si universellement admise, qu'on
a vu les poètes s'en emparer, s'en pa-
rer. Ils ont été le jouet de ce mirage,
ils ont revendiqué le droit de ne rien
dire, avec orgueil. Mais cela n'était pas
possible, et jusqu'à leur silence qui s'est
pris à *signifier*. Aussi s'étonne-t-on d'en
voir, toujours victimes de cette illusion
d'optique, qui se scandalisent si l'un des
leurs, mêlant les genres, parle de ce qui
lui tient à cœur. Vous remarquerez
combien le jour où une femme éclipse
dans la vie d'un homme tout ce qui
n'est pas l'amour, cet homme s'il est
poète, devient dans ses paroles qui tra-
hissent l'unique de sa passion, devient
soudain suspect à ceux de ses contemporains qui tranchent alors des réputa-
tions de pureté. Le mélange des genres.

Nom de Dieu, n'avez-vous jamais vu
d'incendie ? Il n'y a rien de tel que le
feu pour mélanger les genres, quand les
pauvres bougres en chemise foutent le
camp à travers la nuit et les flammes,
les poutres s'écroulant sur les bébés
piailleurs, les cabinets brûlant tous leurs
papiers de soie, les montres d'or jetées
par les fenêtres, étincelles dans les
écrins, et l'eau des sauveteurs rouges
arrosant les canapés de peluche. Ce qui
traverse un homme cherche naturellement à s'exprimer. Les pudeurs du jour
s'effarouchent, trouvent mauvais ce
qu'elles tiennent pour une application.
Alors quel tintamarre si ce n'est pas, à
la rigueur, l'amour, mais suivant leur
vocabulaire, la politique, qu'on entend
gronder dans cette voix qui s'élève. Car
Je dois me taire et ne pas hurler si les
larves m'écrasent l'orteil.

Poète, prends ton luth. Oui, mais ta
gueule, quand lisant ton journal du matin tu trouves à la fin cette sottise et

cette saloperie intolérables, quand tu
as l'extraordinaire culot de te sentir touché si l'on condamne quelque part à des
trente, des dix ans de prison, des gens
qui ont simplement protesté contre les
périodes militaires, ou la guerre du Ma-
roc, et qui ont, paraît-il, engagé les ré-
servistes à la désobéissance. Eh bien,
inutile de prendre aucun détour si l'envie me vient de dire ce que j'en pense.
Je tiens, et cela n'a sans doute pas la
gravité désirable pour un juge, parfait,
mais possède un petit peu plus d'effica-
cité future qu'une déclaration de journal avalée par la corbeille à papier,
puisque cette affirmation emprunte ici
la voie d'un livre qu'on peut s'attendre
à retrouver longtemps entre les mains
de gens très jeunes et particulièrement
aptes à la colère, je tiens pour un immonde abus ce droit que le gouvernement et la justice s'arrogent en France
de nos jours d'interdire à ceux qui dé-
testent l'armée le droit d'exprimer par

écrit, avec les commentaires qui leur
plaisent, le dégoût qu'ils ont d'une ins-
titution révoltante, contre laquelle toute
entreprise est humainement légitime,
tout attentat recommandable. Et c'est
par la contrainte physique que ces Ré-
publicains répondent à l'écriture. J'ap-
partiens à, dit-on, la classe 1917. Je dis
ici, et peut-être ai-je l'ambition, et certainement j'ai l'ambition de provoquer
par ces paroles une émulation violente
chez ceux que l'on appelle sous les drapeaux, je dis ici que je ne porterai plus
jamais l'uniforme français, la livrée
qu'on m'a jetée il y a onze ans sur les
épaules, je ne serai plus le larbin des
officiers, je refuse de saluer ces brutes
et leurs insignes, leurs chapeaux de
Gessler tricolores. Il paraît que le
nommé Painlevé, un homme qui jadis,
mais si l'air est resté le même les paroles ont bien changé, qu'un certain
Painlevé, ministre de la Guerre, a signé
l'autre jour un décret monstrueux :

n'importe quel officier ou sous-officier, n'importe quel crétin payé pour marcher au pas, a désormais le droit de m'arrêter dans la rue. Ce n'était pas assez des agents. Et comme eux ils sont désormais assermentés. Ils ont, ces matières fécales, une parole qui fait loi. Ah l'agriculture ne manquera plus de vaches. Eh bien puisque les regarder de travers dans la rue vaut de coucher au violon, j'ai bien l'honneur, chez moi, dans ce livre, à cette place, de dire que, très consciemment, je conchie l'armée française dans sa totalité.

ACHEVÉ D'IMPRIMER
LE 14 FÉVRIER 1939
PAR F. PAILLART A
ABBEVILLE (SOMME)